ぷるぷる健康法

体を振動させて
やせる・美しくなる

張 永祥

たま出版

データが証明する、張先生のすばらしい能力

東京電機大学教授　町　好雄

中国でも有名な気功師である張先生は、たいへん気さくな方で、現在は気功師を養成する学校を経営されながら、さまざまな病気の治療を行っておられます。

数年前から、張先生には何度も気功の測定にご協力いただいており、いつもすばらしいデータを出していただいています。

その張先生が、このほど本を出されることになりました。さっそく一読させていただきましたが、この本は単に気功を解説するだけでなく、東洋的な立場から日本人に健康法のアドバイスをしている本であることがわかります。

表題の「ぷるぷる健康法」をはじめ、体によい水のつくり方、健康を維持するための呼吸法（気功は呼吸が非常に大切です）、病気にならないための歩き方、除霊のし

かたなど、まことにユニークで、通常、書店に並んでいる気功の本とはまったく異なっています。

張先生が来日されてから、はや十七年がたちますが、これまで日本において数々の難しい治療にも成功されてきました。西洋医学とは異なる気功医療は、今日では多くの人に知られていますが、十七年前といえば、気功という言葉はほとんど知られていない時代で、おそらく張先生は日本に気功を紹介された方の一人ではないかと想像されます。今日の気功の普及を見るにつけ、日本にも中国の伝統医療のひとつが根付いてきたという感を強くしています。

張先生は、日本国内で気功の研究を行っている大学にも積極的に協力され、健康への効果を科学的に証明することに寄与されています。東京電機大学でもたいへんお世話になり、この場を借りて感謝申し上げます。

張先生によると、来日当初は二カ月程度の滞在予定のつもりが、十七年にも及んだのは、お嬢さんが日本を好きになったからということでしたが、私の推察するところ、張先生ご自身も日本が好きになられたのが理由ではないでしょうか。先生には、できるだけ長く日本に滞在していただき、これからも気功の普及に努めていただければと願っています。

日本人は、健康のことを気にしながらも、何も実行しない人が多いように見受けられます。そういう人たちにとって、この本は気軽に電車のなかで読みながら、手軽に、しかもお金をかけないで健康法を実践できる楽しい本です。ぜひみなさんも、実践されることをおすすめします。

はじめに

日本はいま、たいへんな健康ブームである。これまでもそれなりの健康ブームであったが、各種の健康食品や各種サプリメントが登場し、インターネットや雑誌などによる通販体制が拡充することにより、たいへんな健康ブームとなった。それに、エアロビクス・スタジオやマシーントレーニング・センター、プールなどを併設したスポーツジムも、根強い人気を誇っていて、街のなかでスポーツを楽しむ人も増えている。

老いも若きも体力づくりに余念がなく、健康な体づくりは、今や人々の高い関心事となっているのだ。

その健康ブームの波に乗り、気功もまた人々の関心を集め続けている。気功、とひとくちにいっても、養生気功、気功治療、気功整体といろいろあるのだが、そんなことはおかまいなしに、気功について書かれた驚くほど多くの本が出版されている。そのほとんどは、気功法を正しく伝えたものではないが、それらの本を通じてたくさんの日本人が気功に興味をもってくれたことを、私はほんとうに嬉しく思う。

気功は、現代医学よりもはるかに安全で優れた点が多い。現代医学で難病とされているさまざまな病気が、気功による治療で、よくなったり、完全に治ったりすることは、私のまわりでは日常茶飯事である。

だからといって、私は現代医学と気功を競わせるつもりはない。気功は、現代医学と十分に共存できるばかりか、補いあうことにより、より大きな効果を発揮することができるからだ。

現代医学のほうも、気功を排除しようなどとはしていない。それどころか、さまざまな実験や検査を通じて、現代医学の目で「気功の力」というものを明らかにしてくれているほどだ。

なぜ、そのようなことがいえるのかというと、じつは私自身、杏林大学、日本医科

NHK教育テレビで放映された、張先生による気功の効果測定の実験風景。

大学、東京電機大学などで、現代医学を専攻する研究者と協力して気功の効果測定を行い、日本医科大学の付属病院では、医師と協力し合って治療をおこなってきたからである。

私にとって、それらは気功治療であったが、研究者にとっては「気功の効果の科学的な実験」であった。そのため、さまざまな角度から数々のデータがとられ、それがかえって「気功の効果」を科学的に明らかにすることになったのだ。

気功治療においては、患者の体に直接手を触れずに行う治療法を、とくに「外気治療」と呼んでいる。この外気治療によって著しい効果が認められたのは、子宮癌、食道癌、肺癌、リンパ癌、胃癌、視網膜剥離症、飛蚊症、耳鳴り、膠原病、血管腫、脳腫瘍、リューマチなどである（おのおのの病名は、私と一緒に実験を行った現代医学の専門家によって確認されたものである）。

　このように書くと、気功はたいへんな力をもち、とてもむずかしいものであるかのような印象になるが、じつはそうではない。たいへんな力をもってはいるものの、特別な人にしかできないというようなものではない。やり方を知り、正しい訓練をしさえすれば、だれにでもできることなのである。

　私はこの本を通じて、みなさんに正しい気功のやり方を知っていただきたいと、心から願っている。その思いから、本書では、健康を保つためにだれにでもできる簡単な気功法について多くのページを割いた。そのなかには、本来門外不出のものも多く含まれているが、あえてそれらも公開することにした。そして後半では、私の人となりを知っていただくために、私がこれまで気功による治療を通して体験した数多くのエピソードを紹介することにした。それらのエピソードは、普通の人が聞けば驚くことばかりかもしれないが、気功の力を知る者にとってはめずらしいことではない。

気功について書かれた本のなかには、気功はどんな病気にも効果があり、どんな病気も治すことができるかのように書かれたものがある。この点については、私は、はっきり「そうだ」と言うことはできない。

気功治療の本来の目的は、宇宙の気のなかからよい気を集めて、それを患者に送って体を健康にするというものだ。そのことが、結果として病気を治すことになるのであり、現代医学で名づけられたどのような病気をどれくらい治すことができるかは、目下研究中なのである（気功の歴史はとても長く、それにくらべて気功の臨床治療の歴史はきわめて短い）。

それに、気功は、薬や外科手術とは、病気を治すメカニズムが異なる。薬を飲んで病気を治す。外科手術をして患部を取り去る。気功は、それと同じようなメカニズムではない。

外気治療のときは、私は他のいっさいを忘れて、一念に集中する。呼吸も目も耳も鼻も、すべてをそれに集中させるのである。

そうやってよい気を入れることで、体を健康にしていくのである。よい気はよい芽を出す。よい気はよい心から出る。したがって、私たちがまず心がけることは、私たちの心をよくすることである。

日本では、ガン患者が増え続けている。ガン患者はなぜこうも増えるのだろうか。ガンには遺伝性があると言われるが、私はむしろ薬の副作用から発生するガンの方が多いのではないかと思っている。しかし、そのことを指摘する医師は、おそらく日本にはいないだろう。日本の医師たちにとって、薬を使わない病気治療など、もはや考えられなくなっているからである。

現代人がいかに薬に汚染され続けてきたかは、自分の子どものころからを振り返れば明らかだろう。子どもというのは、どうしても病気にかかりやすい。しかし、風邪をひいたり、お腹が痛かったりする程度のものなら、医者などにかからなくても治せるだけの力を持っている。

しかし、親たちは、子どもがほんらい持ち合わせている力をどうしても信じることができず、心配だからと、ちょっとしたことでもすぐに近所の医者に駆け込む。医者に駆け込んだ以上は、なんらかの治療行為をしてもらい、薬をもらわなければ落ち着かない。

医者のほうも心得たもので、なんらかの治療行為をし、ほんとうは薬など必要ないというときでも、なんらかの薬を処方する。

軽い風邪だと、放っておいても三、四日で治るのだが、その三、四日のあいだじゅう、親は子どもに薬を飲ませ続ける。

親は、子どもに薬を飲ませることが、病気を治すいちばんの治療法だと信じ込んでいて、その薬こそが、将来重大な副作用をもたらすことになるかもしれないなどということは、考えもしない。

そのようにして、赤ちゃんの頃から薬に頼って病気を治すことを繰り返しているうちに、しだいしだいに薬の害が体のなかに蓄積されてゆくのである。

そして、それがいつのまにかガンという恐ろしい病気を育てることにつながったりするのだ。それを私たちは知らなければならない。

大人もそうだが、とくに子どもについては、薬を使わずに、気功で病気を治すことをお勧めしたい。気功は薬をいっさい使わないので、子どものころから気功で育つと、薬の副作用とは一切無縁の世界で生きていくことができる。

それに、小さな子どもが道で転んで泣いたとき、通りかかった大人が、優しく気をあげれば、もうそれだけで子どもを助けることができるのだ。そのようにして、大人から優しく気をもらった子どもは、そのことをけっして忘れないだろう。

その子どもが大人になったとき、彼は気功を身につけているはずだ。あのとき助かったのはなぜかということから、気功を学ぶにちがいないからである。

そして、彼は自分が子どものときにしてもらったのと同じように、子どもが転んでいたならば、優しく気を出してあげるであろう。そのような人が増えていくことが、とても大切だと、私はいま考えている。

教育の荒廃や家庭や地域社会の崩壊が叫ばれているが、優しく気を受けた体験は、そのような悪しき問題をいっきょに吹き飛ばすだけの力がある。転んで痛い思いをしているときに、たまたま通りかかった大人から、優しく気を出してもらった。そのような体験を通して、子どもたちは、信じる気持ちと想像し考える力を学ぶのである。大人から、社会から、それらを体と心で学ぶのである。

そして、それが生きた「気」のある社会であり、豊かで温かい人間的な社会であると、私は思っている。

ぷるぷる健康法　目次

第1章 健康を守り、美容、ダイエットに役立つぷるぷる健康法

1 「体によい水」が、あなたの健康を守る

水は、地の第一の宝

水の大切さについては、中国では昔からよく知られていて、次のような有名な漢詩がある。

天三宝　日月星　天の三宝は太陽、月、星である。
地三宝　水火風　地の三宝は水、火、風である。
人三宝　精気神　人の三宝は精、気、神である。
修得真宝精気神　人として真の宝物が精と気と神ならば
万両黄金不與人　何人もそれを金で買うことはできない。

昔の人は、地の宝の第一番目は水であるとしたわけだが、これはたしかにそのとおりであろう。水がなければ、地球上のあらゆる生命が存続できない。それに、現代医学は人間の体の七五パーセントが水であることをつきとめている。

私たちは、水を飲むことによって、体内の水を調整することができる。体によい水を飲めば、体内の水もよくなり、体は健康になる。

したがって、体によい水を飲むことは、健康を守る第一歩であるといえる。

では、人間にとってのよい水とは何だろうか。どのようにしたら、私たちは、体によい水をつくることができるのだろうか。

「気功露」の電気伝導率は、水道水の六十倍

私はすでに、体にとってよい水をつくることに成功している。それを私は、「気功露」という名前で、商品としての商標登録も済ませている。「気功露」は販売もして

いるが、本書では、あなた自身が自分で「気功露」に近いものつくる方法を公開するので、ぜひつくってみてほしい。そうすれば、無料で体によい水を手に入れることができる。

「気功露」は、私が「気」を入れてつくった水のことである。「気功露」が私たち人間の体にとっていかによいかは、公的機関によるさまざまな角度からの実験によって、すでに証明済みである。

私たちは、三つの水を用意して、東京都薬剤師会の検査に臨んだ。ひとつは、私がつくった「気功露」である。二つ目は、友人がこれはよい水だから販売したいと持ってきた水である。三つめは、機械を使って電気を通した水である。

検査では、次ページの表にあるように、細菌の有無をはじめ、ＰＨ値や電気伝導率（導電率）などが解析された。

他の水との対比

測定値	気功露	友人の水	電気を通した水
一般細菌	0	23.0	0
硝酸性窒素及び亜硝酸性窒素	0	0.056	0
塩素イオン	19.1	0.09	0.59
有機物等（過マンガン酸カリウム消費量）	0.3	0.28	0.68
PH値	8.1	5.89	5.7
色度	0.4	0.2	0.1
濁度	0.11	0.04	0.007
導電率（μS/cm）	338	5.5	5.46
判　定	基準に適合	基準に不適合	基準に不適合

●検査データ表①

「気功露」は、水質検査の結果、電気伝導率（導伝率）が他の水の60倍と圧倒的な数字を示した。
～(社)東京都薬剤師会による検査報告書より

検査の結果、飲料水としてもっとも適しているると認められ、唯一許可となったのは「気功露」であった。成績としては、二番目が友人のつくった水であったが、残念ながらバイ菌が見つかり、飲料水としては不合格となった。

意外なことに、電気を通した水の成績は三番目であり、飲料水としても不合格となった。その理由は「きれいすぎる」ということである。きれいすぎて養分があまりにも少ないので、飲料水には適さないという理由で不合格となったのである。

検査の結果、とくに著しい違いが出たのは電気伝導率（導伝率）であった。「気功露」と東京都の水道水を比べてみたところ、「気功露」の電気伝導率は、なんと水道水の六十倍にもなっていた。

友人が持ってきた水と波動水は、電気伝導率については水道水と変らなかった。

電気伝導率が水道水の六十倍ということは、水の成分がそれだけ細かくなっているということである。そして、水の成分が細かいということは、人体に吸収されやすいということであり、それこそが「気功露」の最大の特長なのである。

「気功露」で、キャディさんの腹痛はすぐに治った

「気功露」には、いくつもの特長があるが、最も大きな特長は水の成分が細かくなっている点である。これは、「気功露」を一口飲めばすぐにわかる。水道水や他の飲料水に比べて、格段にまろやかであり、スーッと体に溶け込むように入っていくから

である。

「気功露」がいかに体にとってすぐれた水であるかについては、私自身、次のような体験をしている。

友人たちと四人で、宮崎県の海のそばのゴルフ場に行ったときのことである。何ホールかをクリアして、私たちは山の中腹あたりまで登っていった。

と、そのとき、突然、私たちについてカートを動かしてくれていたキャディさんが、お腹を抱えてうずくまってしまった。

見ると、顔が真っ青で……、生理がはじまったのだと、すぐにわかった。

彼女は生理が非常に重いらしく、はじまると二、三日は仕事どころではなくなるのだそうだ。

「もう、これで帰ってもいいですか?」

と、聞いてきた。

もちろんすぐに帰ってくれてもいいのだが、ここは小高い山の中腹だ。救急車を呼ぶこともできないので、帰るといっても、そう簡単ではない。

どうしたものかと、みんなで顔を見合わせ、とりあえずということで、私はいつも持ち歩いている「気功露」のボトルを取り出し、彼女にすすめた。

すると、彼女は、

「お腹が痛いのに水なんか飲んだら、お腹が冷えてもっと痛くなってしまいます」

と、飲むのをためらった。

「普通の水ならば、たしかにそうだが、これは薬のようなものだから……。飲めばきっと楽になりますから、さあ、どうぞ」

そう私が強くすすめたので、彼女は「気功露」を口にした。

その途端に、彼女は、

「ああ、おいしい」

と言い、すぐに元気を取り戻した。

あまりの変わりように、私たちがあっけにとられていると、

「さあ、行きましょう」

と、彼女は私たちを促し、自らカートを動かし、さらに山を登っていったのである。

その後、私たちは最後までプレーを楽しんだのだが、そのときはじめて「気功露」が生理痛に効くということを私は知った。

「気功露」は、骨ガンの痛みも和らげる

私の患者の一人に、肺ガンが骨に転位した重症患者がいる。彼は添え木をして痛みを抑えていて、宮崎県に住んでいるため、私のところに治療に通うことはできない。そこで、とにかく「気功露」を飲み続けるように言ったところ、彼は従順にそれを守ってくれた。その結果、ずいぶん痛みが和らいできているとのことだ。

「気功露」は、私がその一本一本に気を入れてつくっている水であり、これと同じものをつくるのは少しむずかしいが、水に気を入れて、「体によい水」にすることは

さほどむずかしくはない。
次に、その方法をお教えしよう。

2 「体によい水」のつくり方のコツは、ぷるぷる振動させること

水に気を入れる方法

用意するものは、水と空《から》の容器（透明または半透明）、それと鏡だけでよい。
水は水道水でもかまわないが、ミネラルウォーターなら、効果はさらに大きくなる。
それではつくり方を説明しよう。

1、水をボトルに入れる。ボトルは一・五リットルから二リットルくらい入るような大きさのものがよい。

2、水を入れた容器を、両手で、タテ、ヨコ、ナナメにぷるぷるとよく振動させる。

持ち上げるのが困難なときは、下に置いたまま両手で揺する。ぷるぷる振動させるのは、水の分子を摩擦させ、より細かくするためである。

この「ぷるぷる振動させる」ということについては、後の章でくわしく述べるが、気功においてはとても重要な位置を占めている。ぷるぷる振動させることによって、水も体もきれいになるのである。

最近になって、科学の分野では、水は汚れるに従っていわゆる「クラスター」とよばれる粒を形成することがわかってきた。裏返せば、よい水であればあるほど、この「クラスター」が小さい。

だから、粒状になった「クラスター」を、ぷるぷる振動させることによってより細かくし、健康できれいな水にするのである。

振動させる時間は、三分くらいでよい。このとき、気を送ることを忘れてはならない。「気を送る」というのは、昔流の言葉でいえば「念力を送る」ことで、一心に念じながらその「波動」を相手に送るのである。

体によい水をつくるときは、水に振動を与えながら、

「この水は体によい水になる」

「この水を飲めば健康でいられる」

などと、強く念じ続けるのである。

3、水を振動させたあと、テーブルに置き、光にあてる。光は、昼間の太陽の強い光ではなく、やわらかい光がよい。薄いカーテンを通して窓から差し込むくらいの光で十分である。

夜なら、星の光でもよい。えっ、星の光？　と驚かれるかもしれないが、月もまた星の一つである。したがって、月の光でもよい。都会のネオンサインのなかでも、月の光を取り込むことは可能だ。

どのようにするかというと、鏡を使うのである。鏡で月をとらえ、それを水に当てるのである。当てる時間は、あまり長いと味がおいしくなくなるので、十五

分くらいがちょうどよい。

　水道水に含まれる塩素も、光を当てることで消すことができる。

　このとき、水を入れた容器が大きすぎると、揺することはできても、うまく振動させることができない。この作業のポイントは、水の分子を摩擦させることであり、水を振動させなければ、水の分子の摩擦は起きない。

4、十五分光を当てたら、今度は陽の差さないところへ移してそのまま三十分くらい静かに置いておく。

5、三十分ほどたつと、水のなかの悪いものはすべて下に沈殿するので、上から四分の三を飲料水として使い、残り四分の一は、食器の洗い物など他のことに使う。

こうしてつくった、気の入った水は、一、二週間はもつので、その期間内に飲んでしまい、なくなりそうになったら、また新しくつくる。
ちなみに、この水は、温めて飲んでも効果はなくならない。

ぷるぷるしちゃうよ
1
水をタテ、ヨコ、ナナメにぷるぷる振動させる（3分間くらい）。
体によい水になれ…
2
振動させながら気を送る。

「体によい水」のつくり方

3

鏡を使って、水を光に当てる（15分間くらい）。

4

光の差さないところで30分間、静かに置いておく。

5

上から4分の3を別の容器に移し、飲料水として使う。

気を入れた水でアトピーを改善

気を入れた水のポイントは、振動と気と光をいかにとりいれるかである。これは、気に関するすべてについて当てはまることである。振動と気と光によって、あらゆるものが、きれいなものに生まれ変わるのである。

きれいになった水、つまり体によい水が体内に入ることより、体が調整され、新陳代謝もよくなる。

そうしたことから、気を入れたよい水は、アトピー性皮膚炎やニキビなどにも著しい効果を発揮する。アトピーやニキビで悩んでいる人は、気を入れたよい水で、患部を何度でも洗うことにより、痛みやかゆみが抑えられ、きれいに治っていく。このとき、気を入れたよい水を飲むと、効果はいっそう顕著になる。女性の場合は、化粧水代わりに使ってもよい。気を入れたよい水は、まさに天然の化粧水なのである。

空腹時と寝る前に飲む

気を入れたよい水の飲み方としては、まず朝の空腹時に、コップに軽く一杯飲む。そして、夜寝る前にもやはり軽くコップに一杯を、忘れずに飲んでほしい。「軽くコップに一杯」は、量でいうとだいたい百五十㏄くらいである。

気を入れたよい水は、冷たくても温かくてもどちらでもかまわないが、できれば冷蔵庫には入れず、常温で保存していただきたい。冷えすぎる水は、あまり体によくないからである。体温に近い温度で保存された水がもっともよいのだが、室内で常温で保存されたもので十分である。

朝一番と夜寝る前がよいのは、そのころは胃に何も入っていないからである。気を入れたよい水は、空腹時に飲むと最も効果が高い。

朝一番に、気を入れたよい水で胃腸を整備し、そのあとで朝食をいただく。夜は、これから寝ようというときに、気を入れたよい水で胃腸を整えるのである。

「気功茶」を飲む

日本人は、実によくお茶を飲む。人によっては、お茶を水代わりに飲んでいる。食事のあとに一杯、仕事の合間に一杯、人と会ったら一杯、外から帰ったら一杯などというように、よくお茶を飲む。

また「〇〇茶は健康によい」とか、「〇〇茶はダイエットに効果がある」などということが定期的にいわれ、その都度ブームになり、みんな率先してそのお茶を飲むようなる。

自動販売機にもさまざまな種類のお茶が並んでいて、次々と新しいお茶が登場する。私は数えたことがないが、日本の自動販売機で売られているお茶の種類は、十種類どころではないだろう。

お茶はたしかに体にいいが、酒と同じで、飲み過ぎは体によくない。お茶といえども、副作用があるので用心されたい。

そんなお茶も、「気功茶」にすることができる。つくり方は、気を入れたよい水のつくり方と同じである。

容器に入れたお茶を振動させ、光を当て、少し置く。そうして、やはり上から四分の三だけを飲み、残りは他のことに使うようにする。

下に残ったお茶には、悪いものが沈殿している。それらは、体に入ると落ちてたまっていくため石になりやすい。石になりやすいということは、ガンにもなりやすいということである。

「気功茶」をつくるときも、

「このお茶はおいしくなる。体にとてもよくなる。このお茶を飲むと健康になる」

と念じ、気を送ることを忘れてはならない。

3 気功名人、秘伝の呼吸法

長寿の薬「自家水」

もしこの世に長寿の薬があるならば、だれもがそれを手に入れたいと願うだろう。ただし、いくら長寿であっても健康でなければ意味がない。痴呆老人となって、だれかの手を煩わせながらようやく生きるようでは、幸せな老後とはいえない。

したがって、長寿を望むなら、まずは健康でいることを心がけなければならない。健康な体で長寿をまっとうできるなら、人間にとってこれ以上の幸せはない。

知人のTさんは、これまで一度も病院に行ったことがないことを自慢にしていた。そうして、いくつもの会社を経営し、豊かな資産を使って映画のスポンサーにもなり、実に精力的に働いていた。

そのTさんが、五十七歳の時、突然脳腫瘍になったのである。手術して一命はとりとめたものの、それ以来、植物状態である。Tさんが、このまま百歳まで生きたとしても、もはや幸せとは言えないだろう。心身ともに健康で、長寿をまっとうしてこそ幸せなのである。

では、心身ともに健康を保ち、長寿をまっとうするために、私たちはどうすればよいだろうか。長寿を得るための薬など、本当にあるのだろうか。健康を維持していくための薬とは、いったい何なのだろうか。

長寿の薬、健康を維持する薬は、実際に存在する。それは、「自家水」というものである。

「自家水」とは、文字通り自分の体のなかの水である。中国の古いお寺に、この字が使われているが、そこではこの「自家水」を「くすり」と読ませている。

その「自家水」こそが、健康と長寿の薬なのである。

自家水
くすり
中国の古いお寺ではこれで「くすり」と読ませるんだ。

それでは、「自家水」とはいったいどういうものなのか。どのようにしてつくればよいのか。まずは、中国の古典を紐《ひも》解《と》こう。

井戸のなかで亀に出会う

春秋戦国時代（春秋時代と、その次の戦国時代。前七七〇～前二二一）、人々はいつも争っていた。あるとき、戦争の最中に一人の兵士が深い井戸のなかに落ちてしまった。幸いにも、その井戸はかなり古かったため水が少なく、兵士は溺れることなく命をとりとめることができた。

戦っていた人々は、やがてみんな死んでしまった。兵士は、あたりがシーンと静まり返るのを感じながら、自分もこのまま死んでしまうのだろうかと考えた。こんな井戸のなかで死ぬなんて、自分はなんて不幸だろうとも思った。

しかし、こうも思った。自分は井戸に落ちたおかげで、体をバラバラにされることもなかった。戦争で勝ったとしても、その次の戦争では負けるかもしれないし、たとえその戦争で勝ったとしても、そのまた次の戦争で負けるかもしれない。

そうして、いつかは戦争に負けてしまうだろう。そうすると、自分の体は切り刻まれて、バラバラにされてしまう。そうならずに死んでいけるのだから、井戸のなかに落っこちてよかったのかもしれない。

そんなことを考えながら、その兵士は井戸のなかで、やがて訪れる死を待ち続けていた。そうしているうちに、彼の心は不思議に和らいでいった。

＊＊＊

そんなある日、彼は井戸のなかに一匹の亀がいることに気づいた。

「ああ、自分は一人ではなかったのだ」

と、彼はほっとした。

そうして、井戸のなかで、たったひとりの同居人である亀を見続けているうちに、亀に親しみを抱くようになった。

こんな井戸のなかで、亀はいったい何を食べて生きているのだろうか。そう思って、よく観察していると、亀がよく鼻をヒクヒクさせていることに気づいた。

さらに観察を続けていると、どうやらその鼻のヒクヒクは、空気を食べるためのものであるということがわかった。

「なんだそうなのか。鼻をヒクヒクさせて、空気を食べているのだ。オレもひとつ鼻をヒクヒクさせて、空気を食べてみよう」

そう思って、彼も鼻をヒクヒクさせて空気を食べたところ、これがなかなかおいしい。

そこで、彼も亀と同じように、井戸のなかで、しょっちゅう鼻をヒクヒクさせては、空気を食べるようになった。

＊＊＊

彼は、ほかにやることもないので、さらに亀の観察を続けていると、亀がさかんに尻尾を動かしていることに気づいた。自分もやってみようと思ったが、人間だから尻尾はない。

どうしたものかと悩んでいるうちに、肛門を動かしてみてはどうだろうと思うようになった。そこで、肛門をグッと締めて、引き上げるような動きをしてみた。これはなかなかいい感じだったので、それからしばしば肛門を締めて引き上げるようになった。

亀にはもうひとつ、特徴的な動きがあった。首を動かして、何かを飲んでいるようなのだ。

飲むといっても、外から何かを口に入れている様子はない。

「そうか。唾を飲んでいるんだ」

そう気づいた彼は、亀と同じように、首を動かして、出てきた唾を飲むようになった。

そのようにして、彼は亀と一緒に、井戸のなかで空気を食べ、肛門を動かし、唾を飲み、なんと十数年も生き続けた。

＊＊＊

その間、彼はたくさんの夢を見た。夢のなかで、彼は自分の家を見、家族に会い、お母さんが元気でいることを確認した。

彼は、そうやって夢を見続けているうちに、自分が見たいと思う夢を自在に見ることができるようになった。

彼は、いつのまにか超能力を身につけていたのである。

そうして、待ちに待った日がやってきた。

＊＊＊

だれだか知らないが、二人の人間が喋りながら井戸に近づいてくるのだ。その気配を感じた彼は、大声で、

「助けてくれーっ！」

と、叫んだ。

その声を聞いて驚いた二人が、井戸のなかを覗き込むと、なんとなかに人がいるではないか。

彼らは、大急ぎで持っていたヒモを井戸にたらし、彼がヒモをつかんだのを確認すると力を合わせて引っ張り上げた。

こうして彼は、十数年ぶりに井戸から出ることができたのである。

彼が井戸から這い上がってくると、助けた二人は、

「ギャー！」

と、悲鳴を上げ、一目散に逃げて行った。

むりもなかった。まず、彼は丸裸だった。着ていたものなど、とっくの昔に溶けてなくなってしまっていたのだ。

顔はどうかというと、まるで赤ちゃんのような桃色であった。それに、目がライオ

ンのようにギラギラと輝いていた。髪の毛と髭は真っ白になっていて、長く伸びていた。

見た目はそんなところだったが、匂いがひどかった。体臭などというものを通り越した強烈な匂いが、体中を覆っていたのである。

そんな彼を見て、二人が逃げていったのも無理からぬことであったのだ。

亀から学んだ呼吸法

こうして、井戸から無事脱出することができた人物こそが、「気息法」の開祖であり、「十六錠金法」を著した人であるといわれている。

十六錠金法

一吸便提
気気帰臍
一提便咽
水火相見

この文章を訳すと、以下のようになる。
・息を吸いながら、臍《へそ》から心臓のあたりまで気をつり上げてゆく（便提とは、つり上げるの意）。
・息を吐きながら、心臓から臍《へそ》のあたりまで気を下げてゆく。
・肛門をつり上げて唾を飲む。
・水の陰と火の陽で、バランスを取る（相見はバランスを取るの意）。
以上が、十六錠金法であり、これが井戸のなかで亀から学んだ「気息法」の要諦である。

そして、これこそが長寿の薬「自家水」をつくる秘伝なのである。

長寿の薬をつくるところは、お臍のあたりにある

長寿の薬をつくるところは、臍の下あたりである。次ページのイラストをみていただきたい。臍の下の、腹から背までを十とすると、腹の側から七、背の側から三行ったあたりの場所である（丹田にあたる。気功では丹田は三つあるとされ、これは下丹田にあたる）。

ここに鼎鍋《かなえなべ》をつくる。そして、その鍋のなかに唾を入れる。

それと同時に、意識を集中してエネルギーをいっぱい集め、それもこの鍋のなかに入れる。唾と、意識を集中して得たエネルギーを同時に入れるというところが、ポイントだ。

「自家水」のつくりかた

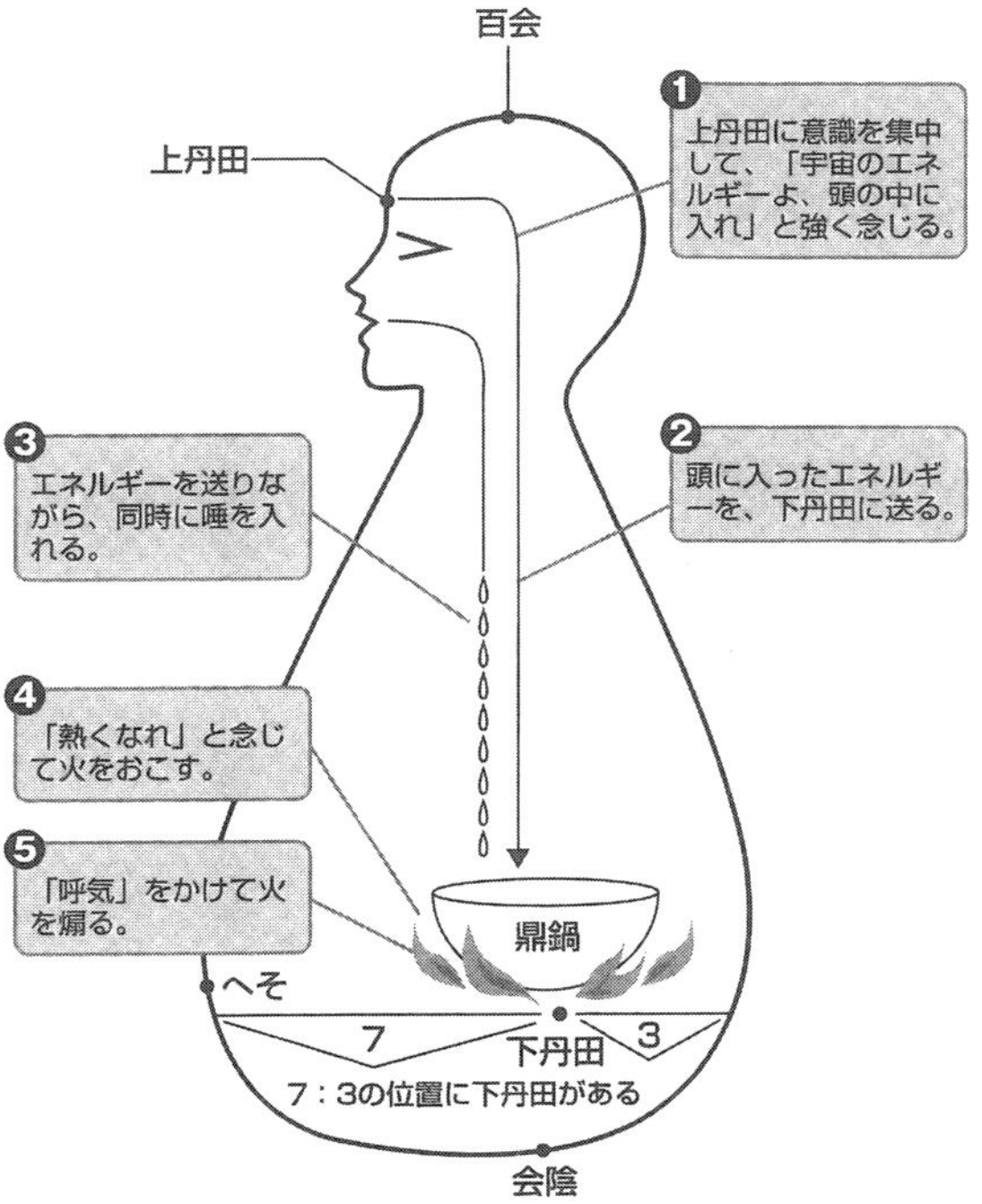
百会
上丹田
1 上丹田に意識を集中して、「宇宙のエネルギーよ、頭の中に入れ」と強く念じる。
2 頭に入ったエネルギーを、下丹田に送る。
3 エネルギーを送りながら、同時に唾を入れる。
4 「熱くなれ」と念じて火をおこす。
5 「呼気」をかけて火を煽る。
鼎鍋
へそ
7
3
下丹田
7：3の位置に下丹田がある
会陰

その鍋には、火が必要である。その火は「気」でつくる。

「熱くなれ、熱くなれ」

と、念ずるのである。

そして、その火に息（呼気と吸気のうち、呼気）をかけて、これを「ふいご」（火を煽《あお》る道具）とする。

このとき、火が強くなり過ぎれば、「ふいご」を小さくし、数を減らす。吸って、吐いて、吸って、吐いてを繰り返すと、火は強くなる。強く吸って、強く吐くようにしても、火は強くなる。

適度な火で、鍋を焚き、薬を煮る。

そのことにより、「自家水」はつくられてゆくのである。

「自家水」がたくさんできれば、体が熱くなる。「自家水」は蒸気のようなもので、それが体を守ってくれるからである。

蒸気となった「自家水」は、肛門と生殖器の間の会陰《えいん》を通って後ろに行き、百会《ひゃくえ》

（両耳からあわせた真ん中）から体のなかに入って、唾と一緒に体のなかを循環し、体を守る。

すなわち、この「自家水」こそが、健康を守り長寿につながる薬なのである。

以上の内容については、中国の昔の本などにも書かれているが、どれも難解で意味がわかりにくい（秘伝とは、だいたいがそのようなものである）。

説明が難しいばかりか、実行するのも難しいかのように書かれてあるのが普通だが、実際にやってみるとさほどむずかしくはない。

ここに書いたことをよく読んで内容を正しく理解し、きちんと練習を積めば、きっとできるようになるだろう。

そうして一年もたてば、あなたはびっくりするほど若返るにちがいない。

4 健康を増進させる歩き方

吸って、吸って、吐く

歩くことと呼吸することとは、基本的には同じであるというのが、気功の考え方である。

中国では、朝の清澄な空気のなかを、多くの人が散歩を楽しんでいる。また、公園などで太極拳をしている人も多い。みなそれぞれ自分のペースで、ゆっくりと呼吸をしながら行っている。それは、まさに命のオアシスである。

中国では、九〇年代の末あたりに、法輪功（一九九〇年代初めに吉林省出身の李洪志が北京で始めたもの）を取り締まるようなことがあった。これは、法輪功の人気の高さに、共産党が脅威を感じたためである。法輪功は、従来の気功に仏教や道教に基づく自己啓発の教えを加えたもので、気功の一派といってよい。法輪功の人気は、気功そのものの根強い人気を示すひとつの例であるといえよう。

さて、ここで気功につながる歩き方を、二つご紹介しよう。

両方に共通していえることだが、まずツボを刺激するように歩かなければならない。そのためには、体の重さを調節する必要がある。いきなりドスン、ドスンと歩くのではなく、踵《かかと》から先に地面につけて、順次足の裏をしっかりつけるようにする。踵で地面を押し、大地を踏みつけるように歩く。

また、歩くときには呼吸を意識して、「吸う、吸う、吐く」というように呼吸する。二回吸って一回吐く。これがひとつの方法である。

息を吸うときは、鼻から吸う。「フッ、フッ」あるいは「キュ、キュ」と、鼻を鳴らしながら息を吸うと、うまくいく（これは、鼻から息を吸うときに自然に出る音でよい。フッとも、キュとも聞こえるし、その中間くらいのようでもある）。

鼻を鳴らしながら息を吸うと、自然に息を鼻から吸うことが意識される。

吐くときは、口から吐く。このときも、「フーッ」と声に出すと、口から吐く息に自然に意識が集中される。

ここで重要なのは、吐くときはたくさん吐き、吸うときは少しだけ吸うことである。体のなかにたまっている悪い気を全部吐き出すことで、体を軽くするのである。

この「二吸、一呼」（二回吸って、一回吐く）のバリエーションとして、「四吸、三呼」（四回吸って、三回吐く）というのもある。これも吐くときはたくさん吐き、吸うときはできるだけ少なく吸う。

両方とも、最初は苦しいが、マスターすると非常に楽な呼吸法である。

七回吸って七回吐くというやり方もある

「吸う、吸う、吐く」の呼吸法をマスターしたら、今度は吸うのを七回にしてみよう。これを声に出すと、次のようになる。

フッ、フッ、フッ、フッ、フッ、フッ、フッ
（あるいはキュ、キュ、キュ、キュ、キュ、キュ、キュ）
フーッ、フーッ、フーッ、フーッ、フーッ、フーッ、フーッ

七回吸って七回吐くのは、最初は少し苦しいが、そのうちに慣れる。

また、七回吸って七回吐くことができるようになったら、手と足のツボを刺激しながら歩くようにするとよい。

手と足のツボは、ともに親指の爪の体の側（右手ならば左側、左足ならば右側）の少し下である。経絡でいう「少商」あるいは「井穴」である。

手のツボは人指し指で押すことができるが、足のツボはそうはいかない。そこで、歩くときに親指の外側を地面につけて押すとよい。手足とも、左右両方を行う。

このような歩き方をしていると、いくら歩いても疲れることはない。体もポカポカ

健康を増進させる歩きかた

1 かかとから順に下ろしていく。

2 足の親指側面（ツボ）を地面に押し付けるようにする。

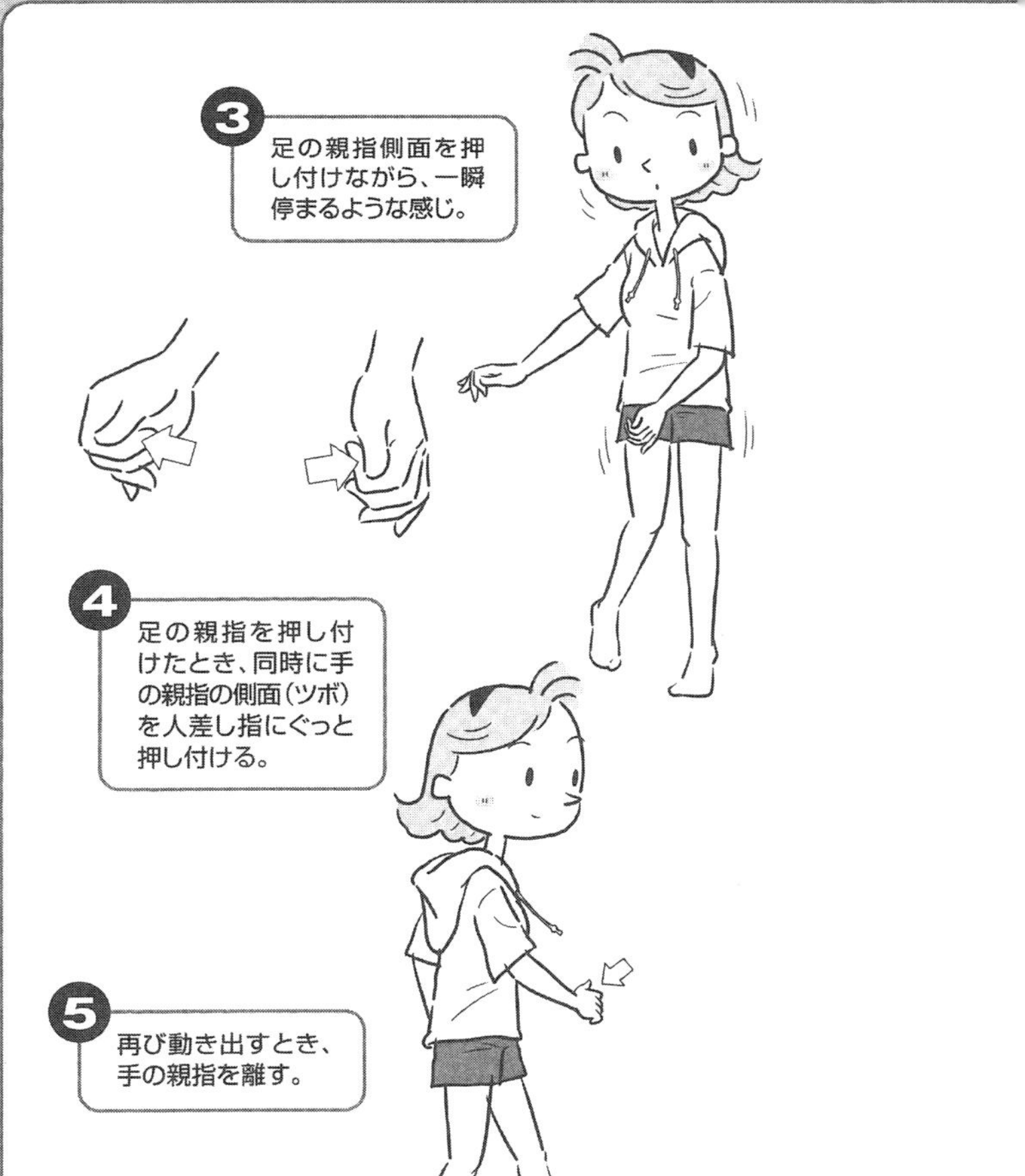
3
足の親指側面を押し付けながら、一瞬停まるような感じ。
4
足の親指を押し付けたとき、同時に手の親指の側面（ツボ）を人差し指にぐっと押し付ける。
5
再び動き出すとき、手の親指を離す。

温まってくる。気功の訓練をやる人は、そうして三時間くらいは平気で歩いている。

中国での私の診療所は、ガン患者が大勢治ったことで有名だったが、ガン患者の人たちも、このようなやり方で、みんな元気に歩いたものだ。そうして、ガンを克服していったのだ。

歩くスピードについては、自分で決めればよい。人と速さを争う必要など、まったくない。自分に合ったスピードで、それこそマイペースで歩けばよいのである。

カバンや荷物があるから、この歩き方ができないということはない。できる範囲で、この歩き方を行えばよいのである。

5 健康を守る秘訣は、体をぷるぷる振動させること

健康を守る四つのキーワード

健康というのは、何もしないで得られるものではない。鍛練をしてこそ、健康な状態を維持できるのである。

その鍛練については、次の四つのキーワードが重要になってくる。

走路脚底の鍛練
平時口水の呑咽
経常肛門の収縮
瞬間精神の舒展

まず、「走路脚底の鍛練」とは、歩いて足の裏の鍛練をすることである。足の裏を鍛練する歩き方は、すでに述べた。踵で地面を押し、順次足の裏をしっかりつけてツボを刺激し、大地を踏みつけるように歩くのである。

足の裏は、第二の心臓と言われ、また老化は足から来るとも言われている。だからこそ、足は日頃から鍛練しておく必要がある。

歩くときに履く靴は、自分の足にぴったりあったものにしなければならない。靴が合わないために、歩くのが苦痛になったりする場合も多いからである。

自分の足にあった靴を履き、正しい歩き方で歩けば、健康を守ることができる。

二つ目の「平時口水の呑咽」とは、つねに唾を飲み込むということである。

三つ目の「経常肛門の収縮」とは、肛門を意識してキュッと締めるように動かすということ。なぜ肛門を動かすことがそれほどまでに重要なのかというと、肛門を動かすことにより内臓も動くからである。

四つ目の「瞬間精神の舒展」とは、精神をリラックスさせるということである。たとえば、仕事の合間、あるいは仕事の終わりに、トイレに行って、用を足しながらリラックスする。そのときはすべての雑念を追い払って、何も考えないようにする。

これは、わずか数分でも、大きな効果がある。リラックスというのは、短い時間、ほんのわずかな時間で十分なのである。

よりリラックスするためには、自然な呼吸法を心がけるとよい。

振動でガスを、あくびで涙を出そう

ここでもう一つ、大切なことがある。それは体をきれいにすることである。体のなかが汚れたままでは、疲れはとれないからである。

お百姓さんたちが、米を振るいにかけて、なかに混じった石やゴミを取り除いている光景を見たことがあるだろう。私たちも、私たちの体のなかを、これと同じ方法できれいにすることができる。

どうやってやるかというと、リラックスをして、全身の力を抜き、体を上下前後にぷるぷる振動させるのである。

この振動による健康法の特長は、15分もあればどこででもできるというところにある。さすがに人前でやるのは控えたほうがいいかもしれないが、家でも、それこそ会社のトイレでも手軽にできるのである。

やりかたは、76ページのイラストを見ていただきたい。体を振動させているうち、ガスがよく出るようになる。ガスは悪い気の固まりだから、できるだけ体内から外に出すようにした方がよい。やがて、お小水も便も出るだろう。頑固な便秘症も、この方法ですっかり治るはずである。

さらに、あくびも出るだろう。大きくあくびをすると必ず涙が出る。涙もまたガスと同じで、悪い分泌物である。涙を出して、体のなかの悪い分泌物を外に出し、目の汚れなども洗い流そう。

たまに、あまり涙が出ない人がいるが、これはあまりよいことではない。涙がよく出るほうが、健康である。ここでいう涙は、泣いたときの涙だけではない。目に自然な潤いを与えているのは涙であり、まばたきするたびに目は潤っているのである。あくびをしても、涙は出る。

自然界を見ても、松の木からは松脂という涙が出る。亀も涙を出す。天も雨という涙を出す。地も泉やオアシスなどの涙を出すのである。

いちばん強い「動」は、振動である

私たちは、座っていても寝ていても、常に運動をしている。呼吸も心臓も、生きて

ぷるぷる健康法のやりかた

1

リラックスして立ったまま、目を閉じてゆっくり回転しながら、自分がいちばん気持ちのいいと感じる方角をさがす（最初のうちは、気持ちのいい方角を見つけることが難しいかもしれないが、何度かやっているに見つけられるようになる。気持ちのいい方角が見つけられないうちは、1回転して元の位置で立ち止まる）。

2

このとき、両手はぴったり腰につけるのではなく、少し脇をあけるような感じ。

3
両手を上げて、口をあけ、あくびをする（最初のうちは、あくびがでないかもしれないが、慣れると自然に出るようになる。慣れないうちは「カラあくび」でもよい）。
4
両手をゆっくり下ろす。
5
両腕を折り曲げて腰の位置で手前に出し、親指を残りの四本の指で包むように握る。
つづく

6 全身を約3分間、上下に激しくゆする(上下の振動)。肘と膝を同じリズムで動かすようにすれば、自然と全身が揺れだす。このとき、腕の力は抜いたままにし、前かがみにならないように気をつける（慣れてくるにしたがって、上下にゆする時間を5分間ぐらいまでに伸ばす）。

7 次に、両手を折り曲げたまま肩の位置にまで上げて、小指側から前に突き出すようにして全身を3分間、前後に激しくゆする(前後の振動)。このとき、膝は「休め」の姿勢で力を抜いたままにし、脇は床に対して平行に保っておくようにする（慣れてくるにしたがって、前後にゆする時間を5分間ぐらいまでに伸ばす）。

8

前後の振動を終了後、腕を下ろして目を閉じたまま、全身を2～3分間、リラックスさせる。

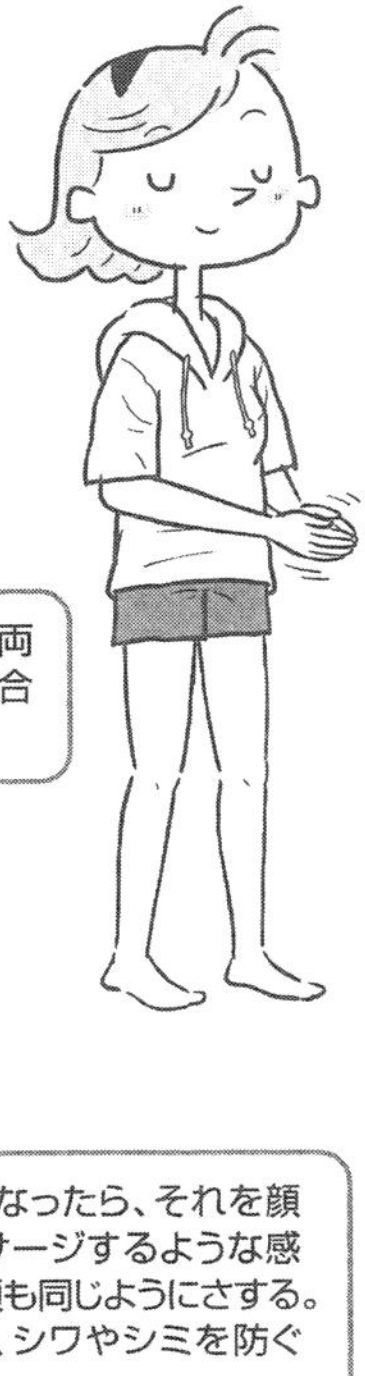

9

目を閉じたまま、両手を手前でこすり合わせる。

10

両手が温かくなったら、それを顔に当て、マッサージするような感じでさする。頭も同じようにさする。これによって、シワやシミを防ぐことができる。

いる限りけっして止まらず、動き続けている。一見動いていないような額だって、実際には動いているし、新陳代謝を行っている。何年も前の頭蓋骨を、そのまま使っているということはないのだ。

宇宙飛行士が、地球に降り立って、すぐに歩けないなどということがあるのは、無重力状態（これは必然的に運動不足状態となる）のせいで、筋肉や骨に体の重さがかからないためである。筋肉や骨に、ある程度のストレスがかからないと、機能を失い、組織も衰微していくということである。

生命には、ほんらい「静」というものはない。聞くのも見るのも、すべては運動の一つであり、すべての生命は「動」なのである。

では、私たちは生命力を強くするために、どのような運動をすればよいのだろうか。どのように運動することによって、私たちは私たちの生命を強くすることができるのであろうか。

「動」のなかでいちばん強い「動」は、じつは「振動」である。その振動を体のなかに起こすことによって、体の気を整えるのである。

さらに、振動によって発生するエネルギーは、体のなかの気を活性化させ、強くする。そして、そのことが体のなかの邪気を下へ降ろし、体外へと排出するのである。また、振動には宇宙からのエネルギーを受け入れやすくするという効果もある。

体をぷるぷる振動させるということは、細胞と細胞を摩擦させることでもある。細胞と細胞が摩擦すれば、熱を持ち体は熱くなる。そのことにより、私たちは体をリラックスさせることができる。

振動をさせ、細胞と細胞を摩擦させると、静電気が生じる。静電気は体のなかを走り、体を調節する。電気が体中を巡るから、体が熱くなってくるのである。しかも、振動が強ければ強いほど、静電気は速く流れる。

よい振動は体を守り、健康にしてくれる。

振動によって、体のなかの悪いものは全部下に下りる。頑固な便秘など、あっというまに解消する。

6 ぷるぷる健康法は、美容、ダイエットにも最適

ウエストやヒップが締まって、肌がきれいになる

これまでみてきたように、体をぷるぷる振動させることは、だれでも、どこでも、15分もあればできる最も手軽で効果的な健康法といえるが、このぷるぷる健康法には、もうひとつ、大きな副次的効果がある。

それは、美容やダイエットに大きな効果をもたらすことである。

まず、美容の面では、これを毎日行うことによってウエストやヒップが締まるようになり、美しい体の線がつくられるようになる。多くの女性は、美しい体をつくるために高いお金をかけてトレーニング・ジムに通ったりしているが、このぷるぷる健康法はいっさいお金がかからない。

それに、このぷるぷる健康法は、スポーツと違って疲れない。それどころか、体を振動させたあと、とても心地よい気分になれるのである。体中の毒気も同時に出すのであるから、当然、爽快な気分をもたらしてくれる。

また、血液のめぐりや内臓の調子がよくなって、肌がきれいになり、ニキビなども取り去ってくれる。肌が荒れているのは、不規則な生活やストレスで血行や内臓が悪くなっているためで、体を振動させることによって、それらの機能を回復させ、結果として肌がきれいになるのである。

ところで、最近は、大きなバストにあこがれる女性が増えているとのことだが、このぷるぷる健康法を行いながら、バストに「気」を送ることによってそれも可能になる。

体を振動させながら、バストに意識を集中させ、

「バストよ、大きくなれ」

と、強く念じるのである。

もちろん、気の送り方によっては、逆のこともできる。つまり、バストが大きすぎて悩んでいる人は、

「バストよ、小さくなれ」

と、強く念じながら、体を振動させるのである。

脂肪をとるので、ダイエットにも効果バツグン

もうひとつ、副次的な効果としては、ダイエットがあげられる。

ぷるぷる健康法は、体を振動させることで余分な脂肪も取り去ってくれるからである。

それに、胃腸の調子がぐんとよくなるので、便秘はもちろん、胃痛からも解放される。

美容と同じように、ダイエットでも高い薬や器具を購入して減量に努めている女性

が多く、そうなるとどうしてもお金がかかってしまう。それに、無理なダイエットは拒食症など深刻な結果をもたらすこともある。

その点、このぷるぷる健康法なら、前にも述べたようにお金はいっさいかからないし、食事の量も無理して減らす必要がない。まさに、〝健康的〟なダイエット法なのである。

第2章 酒・煙・色・金・気（怒）の害を断つ

1 酒……「百薬の長」を毒薬にしない方法

「酒、色、財、気(怒)」の「四好」を、こよなく愛するのが人間

中国では、酒、色、財、気の四つを「四好」と呼んでいる。人間とは、この四好を愛する動物である。

しかし、この四好を愛しすぎると、健康を害し、身を滅ぼすことがある。

中国では、次のように言われている。

酒　穿腸毒薬　愛酒不酔是英豪
色　刮骨鋼刀　愛色不迷保情操
財　惹禍根苗　愛財不貪心安正

気　傷身之道　愛気不怒養生好

これらは、それぞれ次のような意味である。

酒は、腸を穿《うが》つ毒薬だが、この酒を愛し飲んでも酔わない人は英雄豪傑である。色欲は、骨を刮《こそ》げる鋼《はがね》の刀のようなものであるが、色欲を愛しても、それに迷うことがなければ、情操を保つことができる。

財は禍《わざわい》を惹《ひ》き起こす根や苗のようなものだが、たとえ財を愛そうとも、貪《むさぼ》ることがなければ、心の安正《あんせい》を保つことができる。

気（ここでは「怒り」の意味で使われている）は体を傷つけるものだが、たとえ気（怒）を愛そうとも、怒ったりしないでいいように養えばよいものになる。

それでは、これら四つの害を断つ具体的な方法を紹介していくことにしよう。

酒の適量がわかっても、そう簡単には自制できない

酒は古来より「百薬の長」などと呼ばれ親しまれてきたが、飲み過ぎとなると、話は別である。その「百薬の長」を、飲み過ぎのために、健康を害した人は山ほどいるのである。

そうはいっても、酒はさまざまな場面で必要とされているのも事実である。あるときはその場の雰囲気を盛り上げるために、またあるときは親睦をはかり、和を保つために。それに、意気投合の証としても、酒は利用されている。

洋の東西を問わず、多少の酒を飲むことは、大人の社会では当たり前のことにもなっている。結婚式や法事に酒がでないのはヘンであり、会食やパーティなどにアルコール類がでないということも、よほど特殊な場合をのぞいてはありえない。

サラリーマンの人たちが、夜の時間に何かの話しをするとなれば、やはりアルコー

ルがついてくる。上司が部下を、「たまにはどうか」と夕食に誘ったときなども、必ず酒がふるまわれる。

そうしたときに、その場の雰囲気で、うっかり飲みすぎてしまうという経験をした人は多いはずだ。飲みすぎれば、当然、気持ち悪くなり、二日酔いになったりもする。そのような経験をすることによって、自分の酒の適量というものを知るわけである。

しかし、それでも飲みすぎることもあれば、悪酔いをすることもある。自分の酒の適量というものがわかっても、酒をのみはじめると、そう簡単には自制できないものである。

そこで、悪酔いもしなければ、二日酔いにもならない酒の飲み方をお教えしよう。

二日酔いしない酒の飲み方

お酒を飲むときには、右手にお酒を持ち、そのなかに宇宙のエネルギーを入れて、味と香りを変えてしまうのである。

どのようにして宇宙のエネルギーを入れるかというと、宇宙のエネルギーをいったん頭のなかに取り込む。つまり、「宇宙のエネルギーよ、頭のなかに入れ」と念ずるのである。

そうして、いったん頭のなかに取り込んだ宇宙のエネルギーを、お酒のなかに移すのである。

そうすると、お酒の味が変わり、強さが分散され、アルコールの悪い働きを抑えることができる。

酒の飲み方には、もうひとつポイントがある。

酒を飲む直前に、肛門を締め上げるのである。そうして、お酒が体のなかに入れるときには、肛門を緩めてリラックスする。

そうすると、酒の気は、肛門の方へ流れていく。

酒の気を、頭のほうに入れないで、体の下のほうへ行かせるようにするということである。
この方法で飲むと、悪酔いしたり、二日酔いになりにくい。

二日酔いしないお酒の飲みかた

1 右手にお酒を持って、「宇宙のエネルギーよ、頭のなかに入れ」と強く念じる。

2 頭のなかに取り込んだ宇宙のエネルギーを、お酒に送る。

3 飲む直前に肛門を締め上げ、次に緩めてリラックスした状態でお酒を飲む。

お酒をやめるには

お酒をやめたいと思っている人には、次のようにアドバイスしたい。

「このお酒はおいしくない」とか「このお酒には毒が入っている」とか「このお酒を飲むと病気になる」などと、マインドコントロールをするのである。

また、お酒に対して自分が過去にいやな思いがあったことを思い出す。ああ、あのときは飲みすぎて胃が出るほど吐きまくってしまったなあ、あんな思いは二度としたくない、などと思い出すことで、そのときの最悪のイメージをお酒に結びつけるのだ。

あるいは、お酒の飲み過ぎで肝臓を悪くして死んでしまった知人などがいれば、お酒を飲む前に、いつもその人のことを思い浮かべるのである。そして、

「このお酒を飲んだら、私もあの人と同じように病気になって死んでしまうだろう」

そう自分自身に言い聞かせる。

さらに、お酒の飲み過ぎでお腹が出っ張ってしまった人がいれば、自分はああいうみっともない体型にはなるまいと固く誓ってみる。

それを繰り返しているうちに、やがてお酒を見ると、その悪いイメージを思い浮かべるようになってくるだろう。そうすると、だんだん目の前の酒がほしくなくなってくる。そうやって、自分から酒を遠ざけていくうちに、酒を飲まなくても平気になってくる。

「気」で酒の強さを抑える

自分の家に親戚やお客さんが来て、一緒にお酒を飲むことがある。あまりお酒好きでないお客さんの場合は、軽く飲めばいいので、さほど問題はない。しかし、お酒好きで、しかも酒豪のお客さんだと、それなりの覚悟をしてお相伴しなければならない。

さてどうするかだが、日本酒の場合だと、徳利を振って、「体に悪くならないように」と念じる。そうして、悪いものは下に沈めてしまうのである。

そうすると、お酒の味はマイルドになり、軽くなる。

ひとしきり徳利を振ったあと、静かになったところで、ゆっくりと盃に酒を注ぐ。このときも、四分の三だけを飲み、残りの四分の一は捨ててしまう。

こうすれば、ぜったいに悪酔いしない。

ビールなどの発泡酒の場合は、お酒のように振って飲むことはできない。ただし、ビールのほうがお酒よりアルコール度は低いから、お酒ほど気をつかう必要はないだろう。

それでもなお、ビールを軽くしたいときには、栓を抜く前にビンやカンを指で押さえ、日本酒の徳利と同じ要領で、「体に悪くならないように」と念じて「気」を入れ、悪いものは下に沈めてしまうのである。

そうすることによって、ビールのアルコールを抑え、ビールも軽くすることができる。

お酒の強さを抑える飲みかた
ウウウ…
1
徳利を振りながら「体に悪くならないように」と念じる。
まだかな…
2
しばらく置いたあと、ゆっくりと盃に注ぐ。
オイチイ…
3/4だけね！
3
四分の三だけ飲み、残りは捨てる。

人間の気というのは、鍛えれば強くすることができる。強く念じれば、それだけ形となって現れるものである。

以上のことを心がけて酒を飲めば、まず二日酔いにはならない。それでも、ついその約束事を忘れて飲んでしまったことで、二日酔いになってしまったときはどうすればよいのか。

それには、気を入れた水（44ページ参照）を飲むことである。この水がお酒を抑えるからである。

2 煙草……体への悪い影響を断つ

体に悪くない煙草の吸い方

酒と煙草は、いうまでもなく別のものだが、「酒、色、財、気（怒）」の「四好」においては、酒と煙草は同じものと考えられている。それは、人体に対する影響の仕方が、基本の部分で同じだからである。

さて、煙草は百害あって一利なしである。煙草の吸いすぎはガンになるとか、血液の循環を悪くするとかいろいろ言われている。だからといって、愛煙家の人に向かって「すぐに止めなさい」と言っても、それは無理だ。

そこで、私は、そんな人たちのために、体に悪い影響を与えないような煙草の吸い方を伝授しよう。

具体的には、次ページのイラストをご覧いただきたい。

これで、煙草の味は完全に変わるはずだ。

そのあとで、煙草に火を点けると、味が薄くまろやかになっていることに気づくはずだ。

そのようなおいしくて軽い煙草ならば、よほど極端に多く吸わない限り、体を悪くすることはない。

どうしても煙草をやめられない人には、このやり方をおすすめする。

煙草の害をなくす吸いかた

1 煙草を取り出し、フィルターを水にちょっとだけつける。

2 フィルターの部分を左手に持ち、前後に5回振る。

3 左手にフィルターを持ったまま、右手で煙草を包み込むようにし、指先で煙草の毒を引っ張り出すような感じで手前に引き抜く。このとき、「毒気よ、去れ」と心に念じながら気を送ることを忘れずに。この動作を5回、繰り返す。

4 毒気を出した後、今度は右手を煙草に近づけ、「おいしくなれ」と念じながら、指先から気を送る。このとき、指先から気を入れることに集中するが、指先は絶えず振動させておく（ピアニストが鍵盤を叩くような感じ）。

5 以上を、なるべく吸う直前にやるよう心がける（時間がたつにつれて効果が薄れる）。

禁煙しようと思っている人に

どんな愛煙家であっても、煙草がおいしくなくなれば、もう吸おうとは思わないだろう。

ということは、禁煙するためには、煙草がおいしくなくなればよいのである。

では、どのようにすれば、煙草はおいしくなくなるか。

煙草の味をうんと軽くしてしまうことである。さらに、煙草の臭いを悪い臭いに変えてしまえば完璧である。

この時、悪い臭いとは何かについては、人それぞれ違うだろうから、それぞれ自分で考えるようにする。病院の臭いでもいいし、トイレの臭いでもいい。自分にとって悪い臭いを決めたならば、その臭いを煙草のなかに入れるように念じるのである。

そうやって、煙草ほんらいの味わいを消してしまうのである。

この煙草を吸ったら、

「うえっ、まずい！」

と、吸った瞬間、ムカッとするにちがいない。

その経験を体がおぼえてしまうことにより、

「もう金輪際、煙草なんか吸うものか」

と、きっぱりと禁煙できるのである。

日頃から自分が嫌いだと思っている悪い臭いを、そのように念じながら煙草に入れてしまう。これこそが、禁煙への近道である。

「気」は人間だけがもつパワー

人間は生命ある動物のなかでも、犬やネコなど他の動物とは違うとされている。このことに異議を唱える人は、ほとんどいないだろう。仏教の教えには、命あるものはすべて平等というようなこともあるが、それにしても仏教徒となった犬やネコなど、見たことがない。

人間は、やはり犬やネコなど他の動物とはちがうのだ。

では、いったいどこがどう違うのか。これについては、さまざまな意見があるが、気功の世界では、人間は「精霊」を持っているという点が、他の動物と決定的に異なる点だということになっている。

「精霊」という言葉にひっかかる人も、「スピリッツ」だとか「精神」というように言い直せば、納得してくれるだろう。精霊やスピリッツ、精神などを持った人間には、当然、「気」というものがあり、気があればそれを送ることだって可能だということになる。

右手と左手をこすり合わせてみよう。そうやって細胞同士を摩擦させることによって、表面は熱を持ってくる。これと同じことを他の動物はすることができない。

さらに、そういったことを、人間は気で行うこともできる。

たとえば、「万歳」という、希望を表すよい言葉がある。その言葉を「万歳、万歳」と声に出して言い続けてみる。そうすると、なんだか元気になってくるものだ。

それは、私たちが「万歳」と叫ぶことで、無意識に自分自身に気を送っているからである。そのことにより、よいことが起きるのである。

反対に、悪い言葉を唱え続けたらどうなるか。本当に悪いことが起きてしまう。

たとえば、二種類の花を生けるとして、そのときにまったく違った思いを抱くとする。一方の花については「なんだ、こんな花」と思って生ける。もう一つの花の方は「まあ、なんてきれいな花」と言いながら生ける。すると、前者はいつのまにか乱暴になっているし、後者は扱いが丁寧になっているはずだ。

ただし、生け方については、わざと気をつけてほとんど同じにしたとしよう。異なっていたのは、生けるときの「思い」だけであった。さて、結果はどうか。

「なんだ、こんな花」と思って生けた花のほうが、必ず先に枯れてしまうはずだ。

これは、食べ物などすべてについてもいえることである。

人間は、こうしてすべての物事に無意識に気を送っているのである。いろんなことが、気がつかないうちに、私たちの気のいかんによって、よくなっていたり、悪くなっていたりしているのである。

人間には心があり、潜在能力をたくさん持っている。このことは、たしかである。それならば、もともと持っている潜在能力をうまく使って、よい人生を送ったほうが利口である。

3 色……腎虚を防ぎ、精神への悪影響を断つ

「色骨壊」といわれている

中国には、「酒腸悪」という言葉がある。これは、文字通りお酒で腸が悪くなるという意味であり、お酒の飲み過ぎは毒を飲むのと同じという意味でもある。

同じように、色欲については「色骨壊」という言葉がある。これは、色すなわちセックスのやりすぎは骨を壊すという意味である。漢方で腎虚というと、房事過度（セックスのやりすぎ）のためにおこる衰弱症を指すが、その腎虚の「腎」は、腎気（精力）のことである。そして、腎虚の「虚」は、秘伝では骨という意味でもある。

そうしたことから、「色骨壊」とは、セックスのやりすぎは腎虚となって、精力をなくして衰弱し、骨を壊すということである。

以上が、物理的な側面だが、色欲は精神に与える影響も大きい。不倫や浮気をすると心が悪くなる。心が悪くなると体が悪くなる。これは、男女ともに言えることである。

だから、不倫や浮気をすべきではない。そうはいっても、これも酒や煙草と同じで、そう簡単にやめられるものではない。

そこで、どうするか。

ほんらい付き合うべきではない男女関係に悩んでいる人には、気功でいう「観止法」というメディテーションが効果的だ。

不倫をやめるには、「観止法」が効果的

あるパーティに参加したところ、カラオケなどもはじまって、ある男性が、

「あの女の人はきれいだ」

と思った。また、相手の女性も、

「あの男の人は、感じがよくてステキだわ」

と思った。

その後、男は女を忘れられない。一方、女の人も男の人を忘れられなくなってしまう。

どうしても、また会いたいと思う。そのときが、「観止法」を行うのに最適のときである。

このとき、何を観止するのか。

女性は、次のように観止する。

いまはカッコいいが、あの男も年をとれば醜くなる。病気にもなる。老化を止めることはできない。いずれは痩せて骨になる。

さらに、悪いことも想像してみる。

もしかしたら、あの人はエイズかもしれない。ヘンなウィルスを持っているかもし

れない。それに、奥さん以外にも愛人が何人もいるかもしれない。

すなわち、その人についての悪いイメージを次々と思い浮かべるのである。

禅などでは、女性のことを糞袋（糞のいっぱいつまった袋）と思えだとか、だんだんやせ衰えていって骸骨になるまでをイメージせよというようなものまである。

禅というのは、仏教がインドから中国に入ってきて、気功などを採り入れてできたものだから（インドに禅はない。日本の禅は臨済宗、曹洞宗ともに中国から入ってきたもの）、気功と似たところがあるのは、当たり前である。

浄土真宗・本願寺第八世の蓮如に、「白骨《はっこつ》の御文《おふみ》」という法語集がある。これも「朝に紅顔を誇っている身も夕には白骨と化す」といって、はかない人間の実相を説いたものであり、一種の観止法であるといってよいだろう。

そのように、どんなに好きな人であっても、どうせ最後には骨になってしまうのだと思えば、諦めもつく。どんなに好きな人にも欠点はあるものだから、イメージのなかでその欠点を思い切り拡大して、「百年の恋もいっぺんに冷める」というようにしてしまうのである。

正反対のやりかたの「観止法」もある

観止法には、以上に述べたことの、まるで正反対のような方法もある。色欲については、イメージのなかで、思ったとおりにやってしまうのである。きれいな人に出会って、お付き合いをしたいと思ったならば、実際にお付き合いをはじめ、ベッドをともにするところまで、思い描いてしまう。

その結果、いったいどういうことになるかも続けて思い描く。浮気ならば、奥さんにバレてたいへんなことになり、子どもにも反発されて、家庭がメチャクチャになってしまう。

そこまでのことをイメージして、実際には浮気をしないですませるのである。

これは、食欲をセーブするときにも、きわめて有効な方法である。私などもそうだが、海鮮料理が好きで、ついつい食べすぎてしまう。食べすぎたならば、次にはセーブしなければならない。食べたいときに食べたいだけ食べていたならば、必ず太り過ぎになり、成人病、いわゆる生活習慣病になってしまう。

そこで、無性にいろんな物を食べたくなったときには、好きなものを思い切り食べている自分の姿を想像するのである。

そうして、想像の世界でお腹いっぱい好きなものを食べて、それで満足するのである。

観止法というのは、気功のなかにあるひとつのメソッド（方式）であり、これによって自分を解放するのである。

4 金……だめなときはじっと待ち、固執しない

だめなときは、じっと待つことが大切

金の亡者というのも、困ったものである。金に欲の深い人は、心が真っ黒である。心臓にとっては、マイナスばかりがあり、プラスはない。

心にマイナスがいっぱいある人は、将来だめになる。悪いことをしてしまう恐れがある。

お金がなくて借金をして苦しんでいる人の心も、マイナスしかない。何をやってもだめである。

特に日本はいま不景気だ。こういうときには、何か新しいことをはじめてはいけない。こういうときは休んでいるほうがいい。一生懸命にやったところで、だめだから

である。じっと様子を見ていたほうがいい。

まっすぐな釣り針で魚を釣っていた太公望の故事は、そのことを教えたものだ。

太公望は、周の武王の軍師となって殷《いん》を滅ぼし、天下を統一するのだが、武王の父の文王に見出《みいだ》される前は、世を逃れて、ひとり静かに渭水《いすい》のほとりで魚釣りをしていた。そのときに、魚など釣れるはずのないまっすぐな釣り針を使っていたわけだが、これはじっと世の中の様子をみていたということである。

だめなときには、じたばたせずに、じっと様子を見る。そうして、やらなければならなくなったとき、チャンスが来たときには、すかさず動き、大いに力を発揮する。太公望はそうして、天下統一をしたのである。

人生には波があるから、いまはだめでも、そのうちに必ずチャンスが来る。そのことを信じて、安心することである。

借金があってうまくいっていない人も、いまは悪い財縁に引っ掛かっている時期だと、はっきり認識し、自分の心を安定させなければならない。

休むとは自分を抑えることでもある。いまは世界的に経済が下降している。だから、急いでなにかをやってはいけない。「急《せ》いては事を仕損ずる」である。

これまでずうっとお金に縁のなかった人は、ほかの財産を探すとよい。友だちだとか、優しい心だとか、芸術の才能だとか、人のできないことができるなど、お金以外にも財産というものがあるということを知るべきである。

お金はあまりたくさんない方が安全だという面もある

お金は禍根を引き起こすもとなので、じつはお金はあまりたくさんない方が安全である。

たとえば、少し前にもこんな事件があった。

ある一人暮らしのおばあさんがいた。畑で野菜を作り、それを都会で売って生活をしていた。

あるとき、おばあさんの持っている土地が値上がりしたことに目をつけた不動産屋が、畑を潰してマンションを建てるという話をもちかけた。おばあさんの土地にマンションを建て、その半分をおばあさんの所有とする。残り半分は、マンションの建設費を負担した不動産屋さんたちのものになるというのだ。

この方式でいくと、おばあさんは、まったくお金を使うことなく、マンション半分の大家になることができて、生活をしていくには十分すぎるほどの家賃収入が、毎月入ってくることになる。おばあさんはもう野菜を作らなくても、毎月楽しく生活していくことができる。

そこで、おばあさんは、この話に乗った。

そうしてマンションを建てはじめたのだが、そのときに不動産屋は、いまおばあさんが死んでしまえば、この土地はそっくり自分のものにできるのではないかと考えた。そうして、そうなるように契約書をつくり、おばあさんに判子を押させた。

おばあさんは、だいたいのことは、その不動産屋に任せていたので、そのときもあまりよく契約書を読まないで、判子を押した。

　さて、このおばあさんには身寄りがない。うまく殺してしまったら、だれも殺されたなどとは思わないだろう。そう不動産屋さんは考えて、本当に殺人事件が起きてしまった。

　おばあさんは、毎日遊んで暮らせると考えて、畑にマンションを建てる話に乗ったから、命を失ってしまったのである。畑で野菜をつくっていたなら、殺されることはなかった。

　畑にマンションを建てて、そのうえでうまくやっている人もいるだろうが、突如、思わぬお金が入ったり、自分で苦労しないで何かを手に入れたりしたときには、十分に気をつけなければならないという話である。

困ったときは、自分の心のなかの神さまに教えてもらう

お金で苦労しているときには、自分にとって何がいちばん大事かを考えてみる。そうすると、まずは健康だという答えが出てくる。次には、心の充実、豊さであろう。友だちをたくさん持つこともよい。

だったらそのようにして、チャンスを待つのだ。体さえ健康であれば、チャンスを自分のもとに呼び寄せることができる。

どのようにして呼び寄せるかというと、瞑想をするのである。ただし、気功の瞑想というのは、一般的な瞑想とは少し違う。

心を静かにして、リラックスさせる。そうして、自分の心のなかに神さまを呼び寄せるのである。神さまを呼び寄せることができたならば、その自分の心のなかの神さまに、教えを乞うのである。

その神さまとは、どこかにいる神さまではなく、じつはもともと自分のなかにいる神さまである。自分のなかのいちばん判断力の高いところは、神さまである。自分の体のなかのとても元気なところも、神さまである。

その神さまを呼び寄せることができれば、どのような難題であっても、解決策は見つかるものである。

それに、人間は頭をたくさん使って考えることで、潜在能力を発揮させることもできる。

考えるのは朝がベストだ。よく寝て起きた朝は、心身ともに充実しているから、何かを思考するのにもってこいである。一日のうちにも波があるので、それをうまく利用するのである。

頭をクリアな状態にするためには、やはりよく寝ることである。寝ていない、つまり休ませていない頭では、悪いことばかりが思い浮かぶ。お金がなくて苦しいこと、失敗したこと、喧嘩したこと、上司から批判されたことなど、だいたいがろくでもないことばかりが、頭のなかに浮かんでくる。

頭を十分に休ませると、よいイメージが浮かんできやすい。あるいは、よいイメージのほうに頭を開放することができる。

苦しいときには、だれかに頼ってはいけない。神仏にすがったり、お金を払って霊能者に頼んでも無駄である。自分自身の心のなかに神さまはいるのだから、その神さまによく教えてもらうことである。

そうやって、自分の心のなかの神さまから教わったことに、間違いはない。

5 気（怒）……自分を解放させて怒りを断つ

リラックスし、自分を解放することが、怒りを収める薬になる

怒りは、盲目的な攻撃と破壊の衝動のように思われているが、じつはそうではない。破壊衝動なら、皿や茶碗を割ればおさまるが、そのようなものを破壊したところで、怒りは収まらないことが多い。怒りの対象となる相手を攻撃したところで、収まるとは限らない。

ある人の言動によって、私たちが自我の安定を崩されたり脅かされたとき、それを回復しようとする試みが怒りであるというのが、最近の心理学の見方のようだが、怒りが体に悪いことについては、どのような見地からも異論はないだろう。

上司からいじめられ、それをだれにも言えないでいると、不満をためこむことにな

る。それは、体によくない。

ではどうするか。

とにかく思い切って吐き出してしまうことである。だれもいないところで、「バカヤロー」とか「コノヤロー」などと大声で叫ぶだけでも、ずいぶん効果がある。激しく泣いても、大きな効果を得られる。大声で笑えるのなら、もっとよいだろう。そうやって、内に溜め込まないで発散させることである。

あるいは、自分がいちばん好きな歌を歌うこともよい。好きな歌を歌うと、心が解放されるからである。

自分がいちばん好きな場所、あるいはいちばん行ってみたい場所を散歩しているイメージを描いたり、自分にとっていちばんおもしろいことを考えてみることも効果的だ。

忙しい時間をやりくりして、一時間くらいスポーツをするのもよい。スポーツをして汗をかくと、かなりの怒りを発散することができる。

これは主婦の人たちにも言えることである。子供の世話や歳をとった両親の世話などで、疲れ切っていて、なかなかスポーツをしようという気にならないようだ。しかし、だからこそスポーツをすべきなのである。

上手にやり繰りをすれば、どんなに忙しくても、一日に一時間くらいスポーツをする時間をつくれるはずだ。スポーツをして汗をかき、心肺機能を高め、血の流れを早くすると、血管壁などもきれいになる。新陳代謝も高まる。

これらのことを上手に組み合わせて、リラックスし、自分を解放することが、怒りを収める薬になる。

第3章

「有序」を保つことこそ健康の原点

1 病気にならない体をつくろう

ぷるぷる健康法で「有序」の体をつくろう

細胞が無秩序な状態、いわゆる「無序」の状態になっているときは病気に罹りやすく、病気に罹った体は、必ず「無序」になっている。したがって、病気にならないためには、体を常に「有序」の状態に保っておくことである。

有序の状態に保っておこうとしたのだが、油断をしてしまって無序になってしまった。さて、無序を有序に戻すには、どうすればよいか。

ぷるぷる健康法で体を振動させればよい。そうすれば、無序になった体を有序に戻すことができる。

なぜ、そのようなことになるのか。

体を振動させることによって、体中の細胞や神経がすべて同じ方向に向く。それと同時に、体のなかのさまざまな分泌物が、サーッと下に下りていく。

そのことにより、体はリラックス状態となり、有序に戻るということである。

ガンを発症させないために

病気の原因にはいろいろあって、その一つに遺伝性というのがある。ガンについては、特に遺伝性が強いと言われている。

平成十二年に日本全国で死亡した人たちのうち、三人に一人はガンで死んでいる。

さらに詳しく調べてみると、ガンで死亡した人たちのうちの五〇パーセント以上が遺伝性のガンである。

健康な人も含めて調査をした結果、約半数の人にガン細胞が見られた。日本人全体でみても、おそらく約半数の人たちにガン細胞が見られるであろうということである。

ということは、日本人の半数はガンに罹る可能性があるということだが、その可能性のある人がすべてガンになるわけではない。一生ガンが発症しない人も、半数近くいるのである。

ガンの種類では、日本人の場合、特に大腸ガンに罹る率が高くなっている。家族のなかに大腸ガンに罹った人がいると、その家族の六割に大腸ガンのリスクがあるという。

家族の六割というと、五人家族だと、そのうちの三人に大腸ガンのリスクがあるということである。これはたいへんに高い率だが、逆に言えば、たとえおじいさんが大腸ガンで亡くなったとしても、残された五人家族のうち二人は大丈夫だということである。

なぜ、その二人は大丈夫なのか。免疫力が高いからである。免疫力が高ければ、たとえガン細胞ができても、それを食べて無化してしまうので、ガン病巣は形成されず、ガンは発症しないということである。

では、どうすれば免疫力を高めることができるのか。免疫力を高める方法には、どのようなものがあるのか。

それは、気功である。気功を行うことで、免疫力が高まり、ガンを予防できるのである。

主要死因別統計表（平成12年）

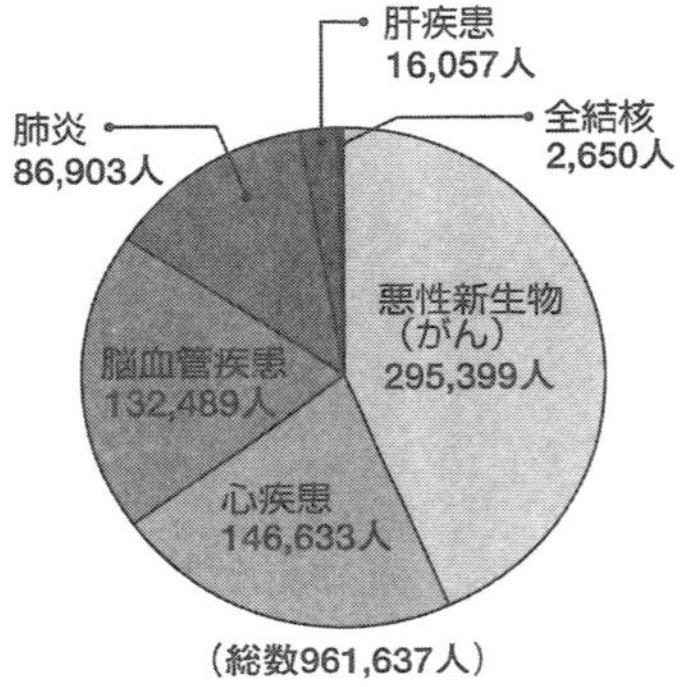

正しく歩くことと、正しく呼吸することが、気功のポイント

気功のポイントは二つである。正しく歩くことと、正しく呼吸することである。歩き方と呼吸を変えることで、私たちはガンの発症を防ぐことができる。

中国では、このやり方を会得し、実践することで、ガンを未然に防いでいる人はたくさんいる。だから、中国では、ガンで死ぬ人の率は日本に比べて少ない。

68ページを参考にして、正しい歩き方を訓練し、正しい呼吸法をマスターする。これによって、あなたはガンを予防することができるのである。

2 それでも病気になってしまったら

病気の原因を分析しよう

健康には気をつかっているつもりでも、病気になってしまうことは多々ある。しかし、病気になったからといって悲観することはない。なぜなら、どんな病気になろうとも、治す方法を知ることで克服できるからである。

病気になったとき、私たちはどのようにすればよいのだろうか。どのようにして病気を克服すればよいのだろうか。

まずは、自分はなぜ病気になってしまったのか、病気の原因は何かを、自己分析する。

原因には、通常、内因と外因の二つが考えられる。

内因は、気功では「内因七情」と呼ばれていて、これは次のような人間の感情である。

喜、怒、憂、思、悲、恐、驚

内因については、どのような目にあっても、平静を保つように、心をコントロールすることで、防ぐことができる。日本では、昔は「修養」ということが重視されたようだが、内因を防ぐことは「修養」するということにも通じている。

外因は、次のような人間を取り巻く環境、あるいは自然条件のことで、「外因六淫」と呼ばれている。

風、寒、暑、湿、燥（乾燥の意）、火

外因については、これらのことによく注意をして、対策を講じることによって、悪い影響を防ぐことができる。

病気に勝つと自信を持とう

二番目は、自分はぜったいに病気に負けない、必ず勝つという自信を持つことである。

病気は必ず治る。治らない病気などない。治す方法がわからないから、治らないだけである。病気を治す方法さえわかれば、どんな病気も治せるのだ。そう自分に信じ込ませるのである。

もし、あなたが病気になったとき、もうだめだ、もう治らないなどと、どんどん気持ちを落ち込ませていったなら、どうだろう。治る病気も治らなくなってしまう。病気に負けてしまうことになる。

だから、「もうだめだ」などと決して思ってはいけない。そうではなく、「病気は必ず治る」という信念を持つことが、なにより大事なのである。

健康管理計画を立てよう

三番目は、病気が治ってからの問題である。病気が治ったあとの健康管理の方法を、自分で設計するのである。健康管理計画と言ってもいいだろう。これは、病気に対する恐怖心をなくし、安心感を得るために、最も頼りになるものである。

健康管理計画には、体質改善の項目も入れよう。これについても、「自分の体質は自分で変えよう」と強く思うことが大切だ。

では、体質改善をするために、何をすればよいのだろうか。

まずは、生活習慣を変えることである。病気になったのは、これまでの生活習慣のすべてに原因があると考えられるからである。

だから、寝る場所や向き、時間帯を変える。呼吸方法を変え、食事の仕方も変える。とにかく、朝目覚めてから夜寝るまでの生活のすべてを設計し直すのである。そして、それを守り実践していくように努力しなければならない。

ただし、無理な生活設計を立てても、決して長続きはしないだろう。途中でいやになったり、面倒くさくなったり、「もういいいや」と諦めてしまいかねない。それでは元の木阿弥だ。

したがって、完璧な計画を立てるのではなく、これならそれほど無理をせずともできそうだと思うものにすべきだ。無理なく実行でき、しかも合理的な生活設計が望ましい。

いつも明るい未来をイメージしよう

さらには、自分自身に明るい未来像を描いてみよう。

病気が治って健康を取り戻したら、いったい何をしようか。何ができるだろうか。こんな仕事をしてみよう。あそこに旅行に行こうなどと、将来に向けて明るいイメージをできるだけたくさん想像しよう。

たとえば、あなたが中高年ならば、自分がまだ若く元気いっぱいだったころのことを思い浮かべてみよう。もう一度、あのときのように元気になったら、あのときのように動き回れたら……と想像するだけで、あなたの気持ちは明るくなっていくだろう。そのようにして、あなたは病気に罹っていても明るさを取り戻すことができるのだ。未来に向かって明るいイメージを抱く。それを、忘れてはいけない。

それと同時に、反省もまた重要である。病気になったのは、自分が何か間違ったことをやっていたからであり、それは何であったかということを突き止め、それを反省する。反省がなければ、新しいスタートはきれない。つまり、反省とは、自分自身を未来に向かって開放することなのである。

よい暗示でよい気を取り込もう

病気になるということは、体から「よい気」が外に逃げていくということでもある。しかし、以上のことを心がけることによって、私たちは「よい気」を取り戻すことができる。「心平気和」、すなわち心平らにして気和やか、というわけである。

さらに、「よい気」は宇宙からもらう。

「どうぞ『よい気』のやり取りをさせてください」

と、神様にもお願いしてもよいだろう。

あなた自身が、宇宙と気のやりとりするのだ。宇宙からエネルギーをもらったら、自分もまたエネルギーのお返しをするのである。

また、同時に自分自身に暗示をかけることも忘れてはならない。

「このお水は健康によい」

「このお茶は健康によい」

と、強く念じて飲むことで、あなたは「よい気」を体に取り入れることができる。よい暗示をかけるとは、自分自身に命令することでもある。自分が自分の命令によって、よくなっていくというわけである。

だから、よい暗示をたくさんかけることが、非常に重要なのである。

逆に、悪い暗示はすべてマイナスに作用する。「もうだめだ」とか「病気は治らない」とか「どうせうまくいくわけがない」などという悪い暗示は、本当に悪い結果を招きかねないということを忘れてはいけない。

よい暗示をかけ、「よい気」を取り込むことによって、必然的に「悪い気」は外に出て行くことになるのである。お小水を出すときなども、これで悪いものをすべて出しきってしまうのだという気持ちで出すべきである。そうすれば、本当にお小水で悪いものを全部出すことができる。

3 家族や友人が病気になったなら

まず勇気づけ、自信を与えてあげよう

自分が病気になったときにはどうすればよいかについては、すでに述べた通りである。では、家族のなかのだれかが病気になってしまったなら、あるいは、大切な友人が病気になってしまったとき、私たちに何ができるだろうか。いったい私たちはどうやって、彼らの病気を治す手助けをすればよいのだろうか。

まずは、家族みんなで病気の人を勇気づけることである。そして、病気は必ず治ると信じさせることが重要だ。そうやって、本人に自信を持たせていく。

また、「こうすれば食欲が出るようになるよ」とか、「こうすればよく眠れるようになるよ」など、簡単な目標を具体的に示してあげるのも効果がある。

さらに、家族が病人を取り囲むように円になり、みんなで宇宙から気をもらう。そうやってお互いに気を回し合いながら、病人に気をあげていくといい。

みんなで気をあげるやりかた

1 あらかじめ、どんな気をあげるかみんなで打合せしておく。
例:痛みがとれる気、食欲が湧く気、熱が下がる気、etc.

2 気をあげるまえに、各自でぷるぷる健康法を行う（やりかたは、76ページのイラスト参照）。

つづく

3 その後、病人を囲んで立ったまま、両腕を前に突き出し、両掌を病人に向ける。

4 あらかじめ打ち合わせておいたイメージに集中し、気を送る（たとえば、痛みがとれるようにする気を送るときは、「痛くない、痛くない」と念じ、食欲がないときは「おいしい、おいしい」と念じる）。このとき、言葉はなるべく短いほうがよい。

5 これを5分間、続ける。

病人には、一人で気をあげてはいけない

このとき、気をつけなければならないことがある。これを、決して一人でやらないように。

一人で気をあげるのは危険このうえない。「よい気」を病人にあげることで、逆に「悪い気」を病人から受け取ることになってしまうからである。「悪い気」を病人から受け取るということは、今度は自分が病気になるということである。

私の知人に、ほんの少し気功をやった人がいた。彼は、自分は健康で病気にはならないといつも豪語していた。そして、家族が病気になると、ひとりで気をあげていた。そうしたところ、ある日、彼自身が病気になってしまい、なんと、そのまま死んでしまった。それは、じつにあっけない死に方だった。

彼は、二つの間違いをおかしていた。ひとつは、気功師としてそれだけのレベルに達していないにもかかわらず、たったひとりで気をあげるという間違いである。

二つ目は、自分の気をあげるという間違いである。彼は、それを相手にあげてしまうことにより、自分が持っている「生命の気」を、みんな病人にあげてしまったのだ。その結果、病人は元気を取り戻すことができたが、彼の方は、体のなかの「生命の気」が少なくなり、死を早めたということである。

ある気功の会の会長さんも、そんな失敗をしてしまった一人である。彼は、一万円とか五万円などと、お金を取って、ひとりで自分の気を病人にあげていた。そんなことを繰り返しているうちに、彼自身の「生命の気」が、どんどん少なくなっていった。しかし、彼自身は、そのことに気がつかなかった。その結果、重い病気にかかり、死んでしまったのである。

別の気功の会の副理事長さんは、お金をとったりはしなかったが、ひとりで、自分の気をあげるという同じ間違いをおかして、呼吸不全に陥って死んでしまった。

重要な点なので繰り返すが、病人に対しては、ひとりで気をあげるということを、絶対にしてはならない。それは、非常に危険である。

少しばかり気功を学んだからといって、病気の人に気を入れるようなことをすると、自分の方がやられてしまうのだ。そのようなことをするには、それなりの気功のレベルに達していなければならず、そのレベルに達している人は、いまの日本には少ない。

自分の気ではなく、宇宙の気を意識しよう

一方では、気をあげるとか、気を送るというようなことを言っておきながら、自分の気をあげてはならないとも言っている。いったい、どういうことなのか。あなたは、そんなふうに混乱してきているかもしれない。

しかし、これは矛盾しないのである。気をあげたり送ったりするのは自分だが、その気は自分自身のものでなければよいのである。

どういうことかというと、気をあげるときは、必ず宇宙の気を自分のなかに取り込んで、その気をあげればよいのである。

まずは宇宙のエネルギーをもらい、それを体に取り込む。そして、それを吐き出すと同時に、気をあげるのである。自分のなかの気をそのまま出すのではなく、宇宙からもらった気を出していくのである。こうすれば、自分自身の気が少なくなることはない。

ところが、気について少しばかり知識があると思っている人ほど、気軽に気をあげたがるようである。しかも、気をかけてあげるとき、彼らはそれが自分自身から湧いてくると意識してしまう。それが危ないのだ。自分の気だなどと、決して意識してはならない。

それよりも、むしろ反対のことを意識しなければならない。これは自分の気ではないのだと、強く意識するのである。そのように意識することで、本当にそれは自分の気ではなくなるからである。

気に対する意識が、大きなポイントである。自分の気だと意識するか、自分の気ではないと意識するかで、その後の展開が大きく違ってくるのである。そのことを、けっして忘れてはいけない。

時間についていえば、長くやればやるほど危険である。たとえば、一時間もやり続けるなどということは、初心者は絶対にやってはならない。最初のうちは五分やったら五分休むことを鉄則にすべきである。

実際に、初心者であるにもかかわらず、自分ではかなりのところまできているので平気だと、やりすぎて、衰弱死した人もいる。

私などの場合は、一日中やっても平気だが、それは段階を踏んで、徐々に長くしていったからである。初心者がいきなり長時間やることは、非常に危険である。

第4章　だれにでもできる除霊のしかた

1 病院へのお見舞いは、こうすれば安全

病院では病原菌や霊が見舞い客を待っている

家族や友人が病院に入院してしまったなら、あなたはお見舞いに行くだろう。家族だと、毎日でもお見舞いに行くかもしれない。だが、病院へのお見舞いというのは、それほど気分のよいものではない。

雰囲気がなんとなく暗いし、消毒薬の臭いもあまりいいものではない。それに、自分まで病人の仲間入りをしてしまったような気になったりもする。また、帰り際に喉が痛くなったり、体がだるくなったような気がしたり、妙に疲れを感じたりすることもある。

病院というのは、さまざまな病気に罹った人たちが集まっている場所だから、さま

ざまな病原菌の巣窟でもある。本来、病気を治す場所であるはずの病院で、逆に病気に感染してしまう現象を「院内感染」というが、病院にはそのような危険性もあるのだ。

しかも、言いにくいことではあるが、病院では亡くなってゆく人も多い。ということは、その人たちの霊も多いということである。

病原菌も霊も、私たちには見えない。しかし、あちら側は、病院にお見舞いに行った私たちを見ている。そうして、スキがあれば乗り移ろうとしている。

それを防ぐ方法が、気功にはある。次のようなことをしておけば、病院にお見舞いに行った私たちに、病原菌や霊が移るのを防ぎ、病気にならないようにすることは可能なのである。

病院からついてきた霊は、こうやって追い払う

病院にお見舞いに行くときには、まず、「私は絶対に感染しない。霊にも乗り移られない。私は大丈夫だ」と、強く念じ、悪い病原菌も悪い霊も入らないという強いメッセージを、自分自身に送るのである。そうすることで、悪い霊や菌などから自分を守るバリアを作ることができ、これが予防となる。

そうやってから、堂々と病院の門をくぐればよい。

では、帰りはどのようにすればよいか。いくら自分は強いから大丈夫だとメッセージを与えても、悪い霊や菌が後ろからついてくることもある。

病原菌については、手を洗い、うがいをするなど、常識的なことをキチンと行えばよい。

さて、問題は悪い霊のほうである。これをどう振り払うかだが、病院から出たら、まっすぐに家には帰らず、どこか明るく強い電気のついているところに立ち寄ることを勧めたい。映画館でもよいしデパートでもよい。パチンコ屋やゲームセンターでもよい。

霊は、暗く静かなところを好み、明るく賑やかな街中を嫌う。霊は都会を好まない。反対に、田舎の暗がりなどは、霊がもっとも好むところでもある。

だから、病院の帰りに、人のたくさんいる明るく賑やかなところに入れば、霊はそれ以上あなたについてくることはないだろう。

それでもまれに、霊がことのほかあなたを気に入ってしまうことがある。そんなときには、霊はあなたが入って行った入口の前で、あなたが出てくるのを待っている。一緒に明るいところには入れないので、一度あなたから離れて、あなたが出てくるのを待つというわけだ。

そこで、どうするか。簡単である。入ったところとは別の出口から出ればよい。

人がたくさんいて賑やかで、明るく強い電気のついているところに入ったら、その真ん中まで行って、大きく「ハアーッ」と息を吐くこともよい。そのように大きく息を吐くことによって、体のなかに溜まった悪いものを全部吐き出してしまうのである。

霊は、強い気や体を恐がっている

明るく強い電気のついているところがなかったときは、トイレなどに入って、体をぷるぷる振動させる。そして、そこから出るときに、「ハアーッ」と強い気を出す。そうすると、霊はそれ以上とりつかない。霊にとって、強い気や体ほど恐いものはないからである。

さらに、霊は火を恐がるので、火を燃やすことにより、霊を追い払うこともできる。

私たちは、葬式の帰りに塩をもらい、家の玄関を入る前に、その塩で清めることを習慣としているが、これにも意味がある。霊は塩の味がついたところからは離れていくからである。

その逆に、霊が好むのはタバコである。タバコがあれば、それを家から離れたところに置くと、霊はあなたから離れてタバコのほうに行くので、そのスキに家のなかに入ればよい。

2 部屋の除霊によって病気を防ぐことができる

霊のいる部屋とは

自分の家のなかに病原菌が入り込めば、体は「凶」の状態になる。体が凶のときは、気が少なくなっているため霊も入りやすい。体に霊が入ると、病気も治りにくくなる。家に霊がいるのなら、霊を取り除けばよいわけだが、それをどのようにしてやるのか。

昔は、霊を取り除くために、家ごと壊したり、霊がいると思われる部屋を「開かずの間」とするというようなことが行われた。しかし、現代人にはそのような余裕はない。

そこで、風水《ふうすい》に則ったやり方で、部屋の除霊をする方法をお教えしよう。これも、

霊の住み着いている部屋

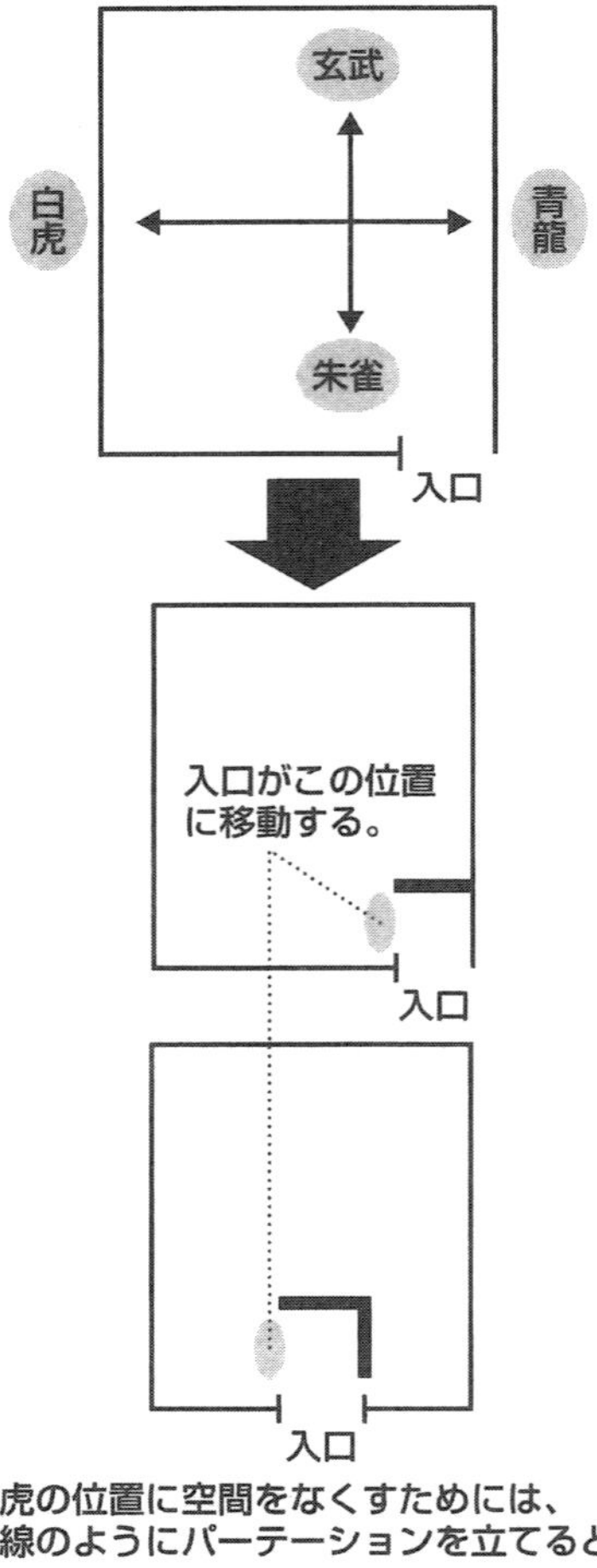

白虎の位置に空間をなくすためには、
太線のようにパーテーションを立てるとよい。

気功のなかにある方法である。

風水は、明代の中国や朝鮮半島で行われていた家相術で、中国の影響の大きい沖縄にも伝わっていて、「フンシー」と呼ばれている。気功のほうが風水よりもはるかに古く、気功のある部分が独自に発展して風水というかたちで整理されたと、私は見ている。

さて、霊が住み着いていると思われる部屋の見取り図（右ページ）を見ていただきたい。

風水で見ると、部屋の出入口に向かって立ったとき、右側が「白虎」（白は五行説では西方）であり、左が「青龍」（「蒼龍」とも表され、蒼は青である。東方に配される）、手前が「朱雀」（五行説では南方）、後ろが「玄武」（玄は五行説では北方に配され、水の神で、亀に蛇の巻きついた姿で表されている）である。

この「白虎」の部分に、霊が住み着きやすい。すなわち、白虎の位置に空間をつくると、そこに霊が住み着くことになるのである。

そこで、その白虎の位置を変えるようにする。

どういうことかというと、図のようにパーテーションを置いて、白虎の位置を変えてしまうのである。

人間の体が悪いとき、気功では「悪いところは、全部変えてしまおう」ということはしない。それは、部屋についても同じであり、その部屋の気が悪いからといって、部屋そのものを作り直すということはしない。手を加えるところ、変更するところは、できるだけ少なくして、それでいながらガラリと変わるほどの大きな効果をあげるのである。

また風水では、とくに四神に応じた最も貴い地相を「四神相応」と呼んでいる。それは、左方である東に流水のあるのを青龍、右方である西に大道のあるのを白虎、正面である南に窪地のあるのを朱雀、後方である北方に丘陵のあるのを玄武とするものである。このようにすれば、官位・福禄・無病・長寿を併有するとされる。

平安京も平城京も、風水説にしたがって造営された

じつは、こうした風水説は、かつて平安京や平城京を造営するさいにも応用されていた。

平安京はいまの京都市の中心部にあり、桓武天皇の七九四年から明治元年（一八六八）まで日本の首都であった。中央を南北に通じる朱雀大路（いまは千本通と呼ばれている）が、一直線に通っていて、この朱雀大路によって左京（東京）と右京（西京）とに分けられている。

左京と右京には、それぞれ縦と横に大路が通り、南北を九条、東西四坊としている。それをさらに、小路が碁盤の目のように細かく整然と走り、区画していた。

それが、右京は間もなく衰頽し、左京が賀茂川を越えて東山に連なるようになり、いまの京都市にその面影を残している。

平城京は奈良の都であり、元明天皇の七一〇年に藤原京から移ってきて、七八四年に長岡京に移るまでの期間、日本の都として栄えた。

平城京も、朱雀大路によって東側の左京と西側の右京とに分けられ、左京の東側の張り出し部分は、とくに外京と呼ばれた。

それぞれの京は縦横に走る大路によって碁盤の目のように区切られていたが、都が長岡京に移り、さらに平安京に移ると、京域の大半は田園となり、外京の跡のみが中世に門前町として残った。

芥川龍之介の短編小説に『羅生門』というのがあり、ヴェネツィア映画祭でグランプリ受賞した黒沢明監督の映画にも「羅生門」というのがあるが、この羅生門というのは朱雀大路の北端にある朱雀門に相対する南端の門の名前である。

ろうそくの火と、酒と果物で除霊する

家のなかは常に気が回っているため、一種のゴミのような悪い気は、一箇所に集まりやすい。そのため、そういう部屋に寝ていると、免疫力も弱まり、病気にもなりやすい。

それに、寝ているときというのは体が動かないから、血液の循環も悪くなり、体のもとである心臓から病気になりやすくなる。

したがって、こういう部屋を寝室にしている人のなかには、寝たまま死んでしまう人も多い。こういう部屋では、ベッドをどこに置こうとも、あまり変らない。

それでは、部屋から霊を追い出すにはどうすればよいのだろうか。除霊し、きれいな部屋にすることは可能なのだろうか。

まずは、部屋の窓を全部閉める。窓を閉めたら、今度はドアを開ける。そのドアの

後ろ（部屋のなかから）から、ろうそくの光を当てる。

霊は火が恐いから、部屋から出て行く。

では、部屋から出ていった霊に対しては、どのように対応すればよいのか。

除霊するときには、部屋のなかにあらかじめお酒や果物を用意しておこう。霊はお酒や果物が大好きなので、それらにくっついている。そこで、お酒や果物を持って、そのまま家を出るのである。すると、霊はそれについて一緒に家から出て行く。

また、除霊をしているときは、見えない霊に向かって、

「どうか外に出ていってください。外にはお酒もおいしい果物もあります」

と言う。

風水にしろ気功にしろ、キーワードはすべて「気の流れ」である。家のなかに、よい気の流れをつくることが重要なのである、そうすることによって、私たちは健康を守ることができるのである。

3 だれでもできる元気の「気」のあげ方

気功では、肝臓が悪い場合は、肺も悪いと診断する

気功の診断は、医師の診断とは大きく異なる。気功自体が医療行為と大きく異なるからである。

気功では、触診もしなければ、薬の処方もしない。たとえば、病院で肝臓が悪いと診断され、薬による治療を受けている人がいたとしよう。

病院側としては、その患者の悪いのは肝臓であり、肝臓の治療を行いさえすれば、もうそれですべては回復すると考えている。

しかし、気功の考え方は違う。肝臓を悪くしたといって患者さんが訪れても、気功では、この人は肝臓だけが悪いとは判断しない。他の内臓が悪いために肝臓が悪くな

ったと診断するのである。

気功では、肝臓が悪い場合は、肺も悪いと診断する。悪くなった肺気が肝臓をいじめるからである。東洋医学では、肺は陰でナイフのようなものと考えている。ナイフのような肺が、木である肝臓を切りつけるために、肝臓が痛めつけられていると判断するのである。

したがって、治療法としては、まずは肺気をよくすることに集中する。肺気をよくし正常な肺にすることで、肝臓もよくすることができると考えるのである。

このように、気功では、すべての悪い部位について、まずは原因となるところを探し出し、そこに集中的に気を施すという治療方法を取っている。

手をかざしただけで、どこが悪いかわかる

私は、具合が悪いと言って寝ている人に近づき、手をかざしただけで、その人のど

こが悪いか、病んでいる部位を瞬時に言い当てることができる。脳梗塞がある人は、頭に手をかざしただけで、すぐにわかる。脳細胞の悪いところ、あるいは神経の弱いところがすぐにわかるからである。

目が悪いという人の場合は、どちらの目が悪いのかも、すぐにわかる。同じように、内臓もどこが悪いかがすぐにわかる。さらには、寝ている人を見ただけで、手を使わなくてもどこが悪いかがわかる。

そうして、どこが悪いかわかると、そこに気を送る。すると、患者さんはすぐに元気になるのである。

相手が遠くにいても、電話によって気を送ることができる。

気を送ると相手の掌がジンジンしてくる

病気の部位に手をかざすと、ジンジンとした感触を手に感じる。これは、「手気感病法」である。

気功にはじめて接した人に対して、私はよく、次のような実験をする。実際に体験をしてもらったほうが、理解してもらいやすいからである。

私が経営している気功師専門学校を訪ねてくれた人は、だいたいが大きな木の机をはさんで、私と対面することになる。今日はあなたが、訪ねてきてくれたとしよう。

お茶を飲んで、しばらくいろんな話をしたあと、あなたの右手の掌を、机の上に当ててもらう。そうして、私が机の下から、あなたの掌が当てられているあたりに向かって、気を送る。

すると、あなたの掌は私の気を受けてジンジンとしてくる。

私が、机の下で、あなたの掌に向かってゆっくり手を回すと、あなたは掌のなかで気がゆっくりと回っているのを感じる。

私が、手を上下にゆらせば、あなたは掌のなかで上下に気が動いているのがわかる。

これは、気配だとか、微かな感触というようなものではない。鉛筆の先で掌を触れたときのように、はっきりと感じる。

ジンジンと感じる人もいれば、ピリピリと感じる人もいるが、それは表現の違いであり、どの人も同じように気を感じるのである。

歩けなくなった人を、気功によって歩かせるというようなことは日常茶飯事なのだが、その様子をビデオ撮影した人がいた。その人のビデオを見ると、私が気を送っているところには、煙のような白いものが浮かんでいるそうである。

そこで、そのビデオを見たのだが、実際にそのようなものが写っていた。そのビデオを撮影した人には、その白いものは見えなかったそうである。

白い煙のようなものが写ったビデオをダビングしたら、その白い煙のようなものは消えていたそうだ。

そうしたことから、白い煙のようなものは、肉眼では見えず、ビデオに撮ることはできても、ダビングすると消えてしまうものであるということがわかっている。

イメージするだけで、悪いところがすべてわかるようにもなる

相手に手をかざし「気」を送ることで、その人の体に悪いところがあるか、ないかを診るというのは、「気」による特別な診断法である。

これも、訓練しだいでできるようになる。気功をマスターすると、相手をイメージするだけで、その人の悪いところがすべてわかるようになる。たとえば、政治家なら政治家、タレントならタレントをテレビなどで見るだけで、彼らの体のどこか悪いところがあるかを診断できるのだ。

その方法だが、まずは全身をリラックスさせ、左手をへその前、腹の下あたりに置く。ちょうど、奈良や鎌倉の大仏がやっているのと同じようなかたちで、左手の掌を上に向けて置く。

そうして、頭のなかでは本人の顔を思い浮かべる。

そうしているうちに、掌のどこかの部位がジンジンと感じてくるのがわかる。その掌のジンジンと感じる部位によって、彼らのどこが悪いかがわかるのである。

ただし、これは相当訓練の積んだ気功師だけができる診断法で、日本にはそれができる人は数えるほどしかいない。

参考のために、次ページに部位別診断法のイラストを掲げておくが、くれぐれも素人判断で勝手に診断しないように気をつけていただきたい。あなたが気功をマスターして、はじめてこの図が役に立つのである。

相手の悪いところを、自分の体で感じる「体対感病法」

鏡を使って気を入れ、治すという方法もある。これが「体対感病法」である。

具合の悪い人を、鏡越しに見る。すると、やがて自分の体のある部分がジンジンとしてくるのを感じるようになる。そこが、その人の悪い部位である。つまり、その人

掌の部位別症状

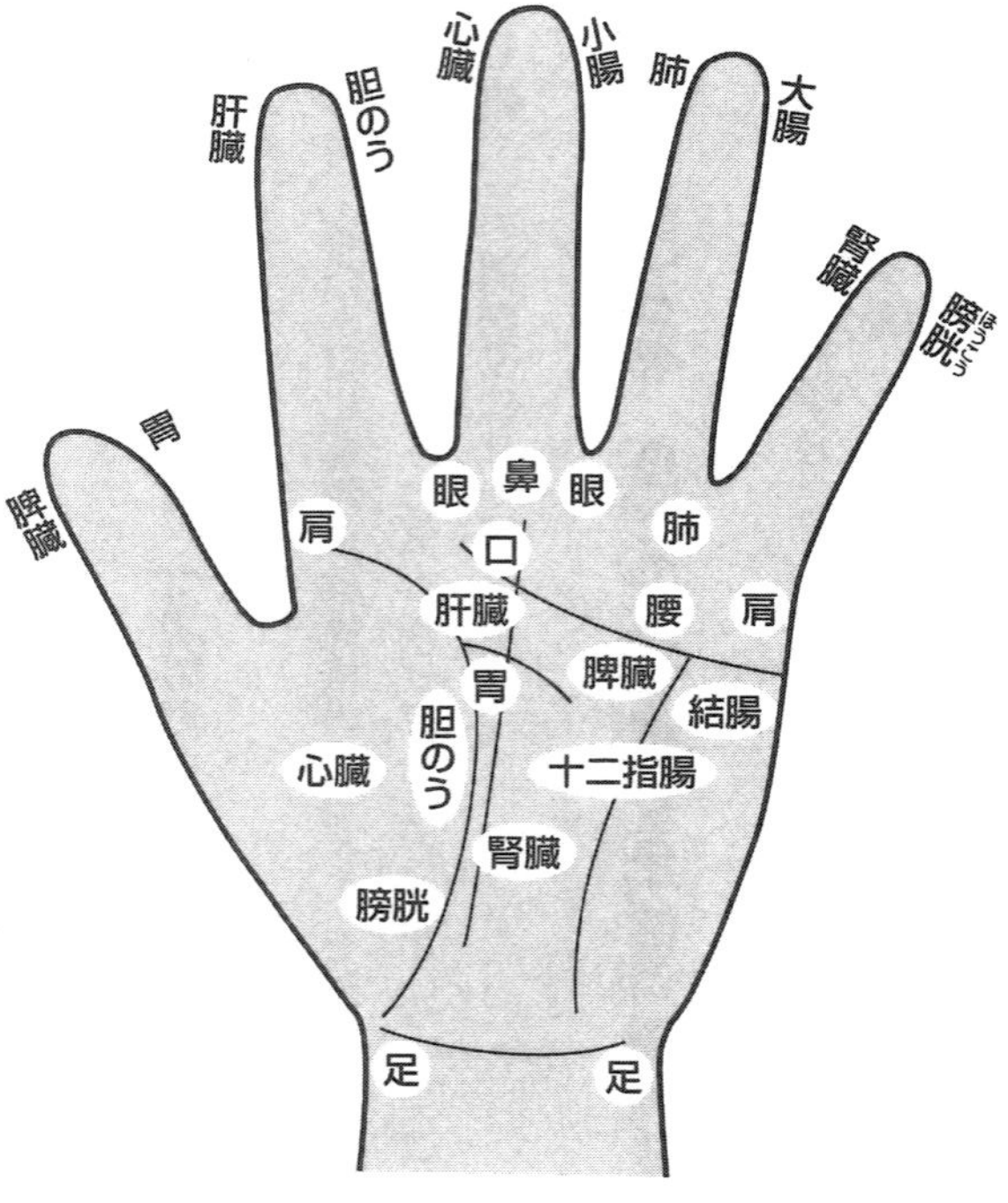

※掌のどの部分がジンジンしてくるかによって、体のどこが悪いかがわかる。

の悪い部位とまったく同じ自分の部位がジンジンしてくるのである。

そこで、ジンジンと感じた部分に気を入れてゆく。こうすることで、鏡を通して、相手の同じ部分にも気を送ることができるのである。そうやって、相手の体をよくすることは可能なのである。

患部には絶対に直接「気」を送ってはならない

前にも述べたように、くれぐれも素人判断には用心したい。まして、素人による治療となればなおさらである。

素人判断で、悪いところを取り除いてあげようなどと考えてはいけない。患部に直接気を送るようなことは、絶対にしてはいけない。

私たちにできることは、弱っている相手に対し元気をあげることである。病気がよくなることをイメージし、元気な気をあげることだけをすればよいのである。

食欲が出るようにとか、よく眠れるようになどある具体的な目標を立てて気を送ってあげる。これなら、だれにでもできるだろう。しかも、このやり方によって、実際病気の人が元気になるケースも多いのである。

気功を少しかじった人のなかには、それをだれかにやってあげたくてたまらないという人がいるものだ。そうして、他人の体に手をかざしては、

「あなたは○○が悪いようですね」

とか、

「○○が弱っているみたいですよ」

などと言う。しかも、

「こうすれば治りますよ」

などと、適当なことを平気で言ってのける。

あなたは、そういう人に引っ掛かってはいけない。彼らの言うことを鵜呑みにしたならば、とんでもないことになりかねない。

素人診断、素人治療ほど危険なものはない

悪い部位に手をかざせば治るとか、光を当てれば治るなどと言っては、独自に治療を行っているようなグループもあるようだが、これは危険きわまりない。彼らは、気を送れば、相手は間違いなく元気になると信じているようだが、まったく逆の場合がある。

気を送ることで、悪い部分をどんどん体の真ん中に入れていくことだってあるのだ。ガンなどの場合は、ヘタなことをやると病巣を転移させかねない。

痛む部位、病巣の部分に気を送れば、その部分の病巣は除去できるかもしれないが、手をかざしたり、当てたりすることによって、病原菌をまわりに細かく散らせてしまう可能性がある。そうなると、病気はよくなるどころか、かえって悪化するのである。

私たち専門家ですら、いきなり患部に手を当てるなどということは、絶対にしない。

まず最初に行うことは、弱った体に「よい気」を送ることである。その場合も、直接患部には送らない。患部の周囲に送るようにしている。直接患部に気を送ると、「悪い気」を取ることはもちろんできるが、同時に「よい気」までいっしょにとってしまいかねないからである。

だから、まずはあえて患部を外し、そのまわりの箇所に気を送り、病巣が転移しないように予防することから始めるのである。

それをしっかり行ったあとで、最後に患部にたどりつくのである。

第5章

中国では「神《シン》手《ティ》張《チョウ》」と呼ばれた

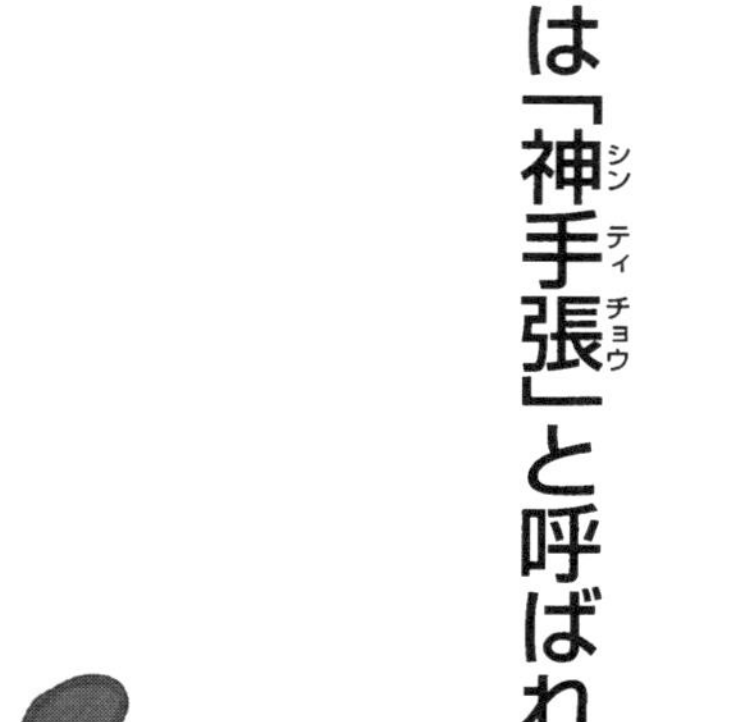

1 気功の秘伝「千里診脈」を伝授され、瀋陽《しんよう》で治療所を開く

師である義母より気功の秘伝「千里診脈」を受け継ぐ

一九五〇年に中国の瀋陽《しんよう》で生まれた私には、両親の他にもう一人の母がいる。日本流にいうと義理の母ということになるだろうか。

義母は、先祖代々、気功の秘術を伝える家に生まれている。私はその義母に見いだされ、気功術の後継者になるために養子となったのである。

もともと私は、小学校に入る前から気功や武術を学んでいたため、二十歳になる頃には、すでに人に気を送れるまでになっていた。

そんなある日、私は一人の女性と出会った。やがて、私の義母となる気功の師である。

そのとき、師は私に向かって、

「あなたには特別な才能があります。私の後継者として特別に教育してみたいから、私の息子になりなさい」

と、言ったのである。

彼女の持っている気功術は、先祖代々の秘伝とされているため、それを受け継ぐ者は、その家の者でなければならないとされていた。したがって、義母は私を養子にする必要があったのである。

義母は私にさまざまなことを教えたが、そのなかでも秘伝中の秘伝とされていたのが「千里診脈《せんりしんみゃく》」であった。これは、遠く離れたところから、その人の病気を診たり、治療したりするというものである。

日本には遠隔治療という言葉があるが、千里診脈は現象的にはこれと似ている。しかし、気功の世界においては、距離というものはさほど意味をなさないので、気功治療ができるようになったら、基本的には遠隔治療もできるということである。もちろん千里診脈ならではの技術を使う必要はあるが、基本的にはそういうことである。

さらに、日本には遠隔の地の出来事を直感的に感知する神秘的能力として「千里眼」というものがあり、仏教にもこの千里眼とほぼ同じ「天眼通《てんがんつう》」という能力が記されている。しかし、これらは要するに「遠隔地の出来事を知る」ということにすぎず、遠隔の地にいる人の治療をする千里診脈とは、ずいぶん違う。もっとも、千里診脈には、その人の顔を見ただけで、奥さんの病気まで分かるという秘法があるので、千里眼や天眼通は千里診脈に含まれているとも言えるかもしれない。

千里診脈は、もともとは道家の秘法であった

千里診脈は、もともと後宮《こうきゅう》（皇后・妃などが住み、女官の奉仕する宮中奥向きの殿舎）にいる皇后や妃殿下を診療するための道家の秘法であった。

昔の中国では、皇后や妃殿下が病気になったとき、いくら医者であっても、直接に

顔を見たり、体に手をふれることはできなかった。だからといって、診察を誤ると、その者の命はなかった。

そこで、皇后や妃殿下の診察を命じられた道家の医者は、皇后や妃殿下の体にヒモを巻き、そのヒモを、衝立を隔てて手に持つことによって診察したのである。

このとき、道家の医者は、右手にヒモを持ち、左手をアンテナのようにした。左手の掌は、172ページに示すように、人体のさまざまな場所と対応しており、どの部分が反応するかによって、ヒモを巻いた患者の病気の場所がわかり、なんの病気であるかがわかったのである。

このヒモを通して診る秘法は、とくに懸絲《けんし》診脈《しんみゃく》といわれ、この秘法を中心にさらにさまざまな秘法が集大成されたのが、千里診脈である。

ひとりでも多くの人に、秘伝・千里診脈を伝授したい

私は、そのような気功の秘伝・千里診脈を、師である義母から伝えられた。このように書くと、千里診脈というのはとてつもない秘伝で、ものすごくむつかしいもののように思われるかもしれないが、そうではない。私が千里診脈を日本で教えはじめて三年になるが、すでに私と同じ技術が使えそうな人が何人も出てきている。

千里診脈を伝授されたのは、私の代では私ひとりだったが、いいものであれば多くの人に伝えるべきだと、私は三年前から考えるようになった。千里診脈の治療効果は抜群であり、まちがいなく難病で苦しむ人を助けることができる。私自身が数えきれないほどの人を治してきているのだから、これほどたしかなことはない。現代医学しか信じないという人は、さまざまな検査データをごらんになるとよい。

そんなにいいものを、秘伝ということで子どもにしか伝えないようにすれば、助け

ることのできる人の数が、どうしても限られてくる。

気功は、自分の力を出すものではなく、宇宙のエネルギーを集めてきて、それを出すものだから、気功師本人が疲れるということはあまりない。私なども、朝から晩まで、百人、二百人やっても、平気である。それどころか、一度に何百人も集めてやることもできる。

しかし、それでもやっぱりひとりの力というものは、限られている。だから、私はいま、ひとりでも多くの人に、気功を伝授したいと考えている。

2 瀋陽の「神手張《シンティチョウ》」と呼ばれて

「魔掌黄《マジョコ》」と「神手張《シンティチョウ》」

千里診脈を会得した私は、中国の瀋陽《しんよう》（＝中国遼寧省の省都。清朝のころは国都であり、都が北京に移った後は奉天と称した。日露戦争最大の地上戦が戦われたのはこの地であり、のちに満州侵略の拠点、中国支配の拠点となった。さきごろ、北朝鮮からの亡命者が駆け込んで話題になったのは、この瀋陽の日本総領事館である）に、気功の診療所を開いた。その診療所は、亡命事件のさい、テレビのニュースで何度も映像が流れたあの日本総領事館の真ん前にあった。

診療所の診察開始時刻は午前八時だったが、早朝の五時ごろには、もう診察を待つ人たちの列ができていた。その人たちを夜の九時ごろまで治療し続けたのだが、一日の治療者数は、百人から百二十人にものぼった。

患者は、南は深圳、北はハルビンからやって来たのだが、紹介状のある人でさえ、半年先にようやく予約ができるというようなありさまだった。患者のなかには、政治家や有名人などもたくさんいた。

当時、中国全土で一流の気功師として名を成していたのは、私と黄仁忠さんの二人だった。黄さんは揚子江の南を中心に仕事をしていて、人々は彼を「魔掌黄《マジョコ》」（魔術的な手を持つ黄さん、という意味）と呼び、崇めていた。

いっぽう私は、東北地方を中心に、「神手張《シンティチョウ》」（神の手を持つ張さん、という意味）と呼ばれていた。なぜ私がそこまで有名になったかというと、まず第一に、多くのガン患者を治したからである。気功の診療所は中国国内に数多くあるが、ガンを治すことができるのは私のところだけであった。

私は、実際に数多くのガン患者たちを診療し、次々と克服させていたのだが、あるときそのことを大手の新聞数社が、私の顔写真入りでいっせいに報じた。そのことにより、私は、あっというまに、自分でもびっくりするくらい有名になったのである。

有名になるということは、おそろしいものである。それまでも、私の診療所は大繁盛していたのだが、そこにあらゆる階層の人たちが押し寄せ、ものすごい騒ぎとなった。

私の名前は、北京でも知られるようになっていたらしい。当時の中国の指導者、鄧小平の奥さんの病気を診たのは、そのころのことである。

気功に殺到したのは、病院の環境が悪かったせいもある

私の診療所がそれほど繁盛したのには、もうひとつ理由がある。

当時、中国の病院は非常に環境が悪かった。いまはずいぶんよくなってはいるが、それでも中国の病院は、日本の病院と違っていまだにものすごく居心地が悪い。

当時は、常にいやな臭いが立ち込めていて汚かったし、病人たちでごったがえして

(22) 華人天地 1998年9月15日 中華時報 總第119期

氣功大師"神手張"傳奇之七

—— 記東洋氣功綜合療術院院長 氣功師養成專門學校校長張永祥先生

● 紀真

中国の新聞「中華時報」で、シリーズ企画として張先生の伝記が取り上げられた。

いた。診察室では、一つのベッドに何人もが座って、順番に注射をしてもらったりするようなこともあった。

だから、当時の中国では、たとえ病気に罹っても、ほとんどの人が病院に行くのを嫌がったのだ。かといって、病気なのだから放っておくわけにはいかない。ほかに何かよい方法はないかと考えて、「そうだ、気功がある！」ということで、私の診療所をはじめ、あちらこちらにある気功の診療所に人々が殺到したのである。

そのなかでも、私はなにしろ「神手張《シンティチョウ》」と呼ばれるほどで、そのうえいくつもの大手新聞に大々的に取り上げられたのだから、人気が沸騰するのは当然であった。

当時を振り返って、私は娘に、

「スマップや松井選手なみだったんだよ」

と言うのだが、なぜか娘はいまも半信半疑である。

気によって行方不明になっていたお母さんを捜し当てた

私は、ガンを治すことで有名になったのだが、そのことだけで「神手張」と呼ばれるようになったわけではない。「神手張」と呼ばれるようになった背景には、多くのガン患者を完治させたことのほかに、次のような三つの事件があったからである。

ひとつは、行方不明になっていた遼寧省中医研究所の秘書のお母さんを捜し当てたことだ。

私が診療所を開いていた瀋陽は、中国の東北部に位置する寒い地域である。冬ともなれば、気温はマイナス二十度から三十度近くにまで下がり、雪は何メートルも積もる。日本の東北や北陸よりも寒く、北海道なみといってよいだろう。

瀋陽はそれほどまでに寒いのだが、私の診療所は人気があったので、冬の酷寒のさなかでも、百人を越す人たちが、行列をつくっていた。

そんなある冬の日、瀋陽市中医（中医とは、西洋医学の医者に対する中国医学のこと。日本では漢方を指す）研究所で医師をしておられる王さんが、息せき切って私の診療所にやってきた。

「張さん、助けてください。遼寧省中医研究所の秘書のお母さんが行方不明になったんです。そのことで、遼寧省の中医研究所は大騒ぎです」

「そんなことを言っても、私は病気を治すことが仕事で、人を捜すことなどできません」

そう私が答えると、

「それはわかっていますが、なんとかお願いします」

と言って、王さんは一目もはばからず、わんわん泣くのである。

するとその様子を見ていた患者さんたちが、

「いやあ、本当に可哀相だ。私たちは待っているから、張先生、どうか先に助けてあげてください」

と言うし、実際に王さんはとても可哀相だったので、私は思いなおして、さっそく気で診ることにした。

すると、その秘書のお母さんは、瀋陽の町外れで雪に埋まっていることが、すぐにわかった。それに、気の毒なことに、もう生きていないということも。

そこで、王さんに、

「公安局の人にその場所に行ってもらって、身元不明の女性の死体を調べてもらってください」

と言ったところ、王さんはすぐにそのように動いた。

そうして、私の言った場所から、身元不明の女性の死体を掘り出し、それが秘書のお母さんであるということが判明した。

悲しい結末ではあったが、私が気で捜さなければ、秘書のお母さんはずうっと雪に埋もれたままであったので、それがせめてもの救いであった。

この悲しい事件の顚末は、すぐに瀋陽中に広まった。

犯人もお金の隠し場所も言い当てることができた

これも瀋陽でのことだが、ある日、有名な書の先生をはじめ、楊貴妃を演じた女優さんやスポーツ選手など、瀋陽に住んでいる三十人ほどの有名人が、南湖海鮮酒樓に集まるので、私にも来てくれという招待があった。

そこで、患者さんを妻と弟子に任せ、南湖海鮮酒樓へ赴いた。南湖海鮮酒樓は、その名のとおり海鮮料理のとてもおいしい瀋陽一のレストランで、海鮮料理に目のない私にとって、とてもうれしい招待であった。

会場には、たしかに三十名もの瀋陽の有名人が勢ぞろいしていて、みんなで乾杯し、海鮮料理に舌鼓をうち、楽しく談笑していた。

やがてスピーチの時間となって、立ち上がったある有名人が、

「今日は、張先生のおかげで、こんなにもおいしいものを、たくさん食べることができました」

と、あいさつをした。

これには、私も驚いた。

「えっ、私はみなさんを招待していないよ」

そう言ったのだが、みんな笑っているだけだった。

そのあと、南湖海鮮酒楼の社長が話があるというので、別室に入った。

社長の話は非常に深刻なものであった。二カ月前に、大金を盗まれたというのだ。

彼には、毎月決まった日に行われる支払いのお金を、袋に入れて用意しておく習慣が

あった。二カ月前にも、いつものと同じように、支払いのお金を袋に入れておいたところ、その袋ごと盗まれたというのだ。

そこで、社長はとりあえず公安（日本の警察にあたる）に報告をした。そうしたところ、公安はすぐにやってきて、いろいろと調査をしてくれた。しかし、犯人はわからない。

そのことにより、二つ目の問題が起こった。公安の人たちが、二カ月にもわたって、ずうっと南湖海鮮酒楼に滞在したのだ。その間、彼らは南湖海鮮酒楼でご飯を食べ、お酒を飲む。その飲食代は、もちろん請求できない。

公安局の人たちは二十人以上もいて、それが二カ月間、飲食をしたわけだから、その費用はかなりの金額にのぼる。このまま半年、一年と、犯人が見つからなければ、いったいどういうことになるのか。

「大金を盗まれたうえに、こんな目にあっているんです。張先生、どうか助けてください。犯人を探してください」

そう頼まれたので、私は捜してあげることにした。社長が可哀相だったし、公安局もあんまりだと思ったからである。

気で診ることによって、犯人はすぐにわかった。女であり、年齢は三十歳くらい。病気を診ると、小児麻痺を患ったことがあり、左足が少し短い。それに、婦人病もあって、目下生理不順のはずだ。

犯人の足どりを気で診ると、さほど遠くない東北のほうからやってきて、南湖海鮮酒楼に入って、また東北のほうに去っている。盗んだお金は、その東北の自宅にあるはずだ。

そのことを告げると、社長はすぐに、

「わかったぞ」

と頷いた。

その犯人とは、なんと経理の責任者の娘だったのだ。

ところが、翌日、私は日本に行くために中国を離れてしまったので、そのあとどうなったのか、そのときはわからなかった。

その後、しばらくして、瀋陽に帰ることがあり、その後のことが気になったので、南湖海鮮酒楼に行ってみた。社長にあいさつすべきかとも思ったのだが、なんだか恩着せがましくなるような気もしたので、黙って席につき、料理を二品ほど注文した。

そうして、料理を運んできたボーイさんに、

「半年前、ここで大金がなくなるという事件があったでしょう。あれはどうなりましたか」

とたずねたところ、

「ああ、あれは見つかりました。神手張と呼ばれている気功の大先生（！）が、犯人をピタリと言い当て、盗んだお金の隠し場所も言い当てたからです。お金は全部戻ったし、内部の犯行だったので、その後は内々に処理したようですよ」

それを聞いて、私はホッとした。

と、そのとき、後ろを通りかかった社長が、私を見つけた。

「あれっ！　張先生じゃないですか。いらっしゃるんでしたら、なんで言ってくれなかったんですか。どうぞ、あっちの広い席に移ってください。みんな、なにをしているんだ。さあ、さあ、料理をいっぱいお出しして」

「いやあ、患者さんが待っているので、この次にまた」

「だめだめ、どうか食べていってください」

そう言って、社長は私を離さないで、どんどん料理を運ばせた。そうして、その後のことを話してくれたのだが、要約すると次のようなことだった。

会計の人が、腹痛になって、トイレに行っていたあいだに、たまたま娘さんがやってきた。

会計の部屋は、外部の者は入れないことになっていたのだが、娘さんだったので、入ることができた。

娘さんはお父さんに会いにやってきたのだが、会計の部屋に入ると、お父さんはいなくて、お金が置いてあった。そこで、そのお金を盗んで、家に持って帰って、隠していた。その娘さんは、結婚をしていて、お父さんとは別のところに住んでいたので、お父さんは気づかなかった。

小児麻痺を患って左足が少し短い三十歳くらいの女性ということで、彼女のことはすぐにわかった。それに、彼女の家は、たしかに南湖海鮮酒樓から東北の方に少し行ったところにあり、盗まれたお金もすぐに見つかった。

そんなことで、私はすっかり社長の恩人のようになってしまい、その日はずいぶん御馳走になったのである。

全中国を震撼させた「二王事件」を解決

あれはたしか一九八三年のことである。全中国を震撼させる出来事が起こった。「二王事件」である。

「二王」というのは、人民解放軍で鉄砲の調整をする専門家であった王兄弟の呼び名である。その王兄弟が、上官を射殺して逃亡したのだ。王兄弟は、ともに射撃の名手であり、そのふたりが鉄砲を持って逃亡したことによって、全中国が震え上がった。中国の子どもなど、「二王が来るぞ」と言えば、泣き止んだほどである。

私は、そのころ北京で治療をしていた。その北京の私の診療所に、中央公安部の王さんがやってきて、

「二王がどこにいるか探してくれないか。あなたは中国人でしょう。二王を捕まえられないことについては、中国人みんなに責任がある」

そんなふうに強圧的に言うので、

「私は、お医者さんであって、警察官ではありません」

とお断りすると、

「これは命令だ。なんとしてでも、二王を捜し出せ」

と重ねて言われ、しかたなく気で調べると、揚子江の武漢の橋を渡った雲南省の西

南のほうにいることがわかった。

そこで、そのことを伝えると、

「それじゃ、明日、一緒に雲南省に行こう」

と言われた。私は、

「わかりました」

と返事をしたが、雲南省について行くと、とんでもない目にあうということがわかっていたので、行く気はなかった。

それに、病気を治せば、家族じゅうに感謝されるが、二王を逮捕することに協力すると、二王はもちろんのこと、その家族や親戚から恨まれることになる。だから、そんなことはしたくない。

そこで、その夜、四人ほどいた弟子を連れて、瀋陽に逃げることにした。

北京から瀋陽までは、千五百キロ以上ある。北京から万里の長城までが約七百キロ、万里の長城から瀋陽までが八百キロほどだ。

汽車で行くとなると十二時間以上はかかるが、いまから飛行機のチケットをとることもできないので、夜行の汽車に乗るしかない。

ということで、夜行列車に飛び乗ったのだが、座る席がない。十二時間以上も立ちっぱなしということになるが、我慢するしかない。

そんなことを考えていると、車掌がやって来た。

「立ちっぱなしということになりますが、辛いでしょう」

車掌さんは、同情的だった。

「でも、まあ仕方ありません。ところで、あなた病気があるでしょう」

そう私が言うと、びっくりしたように

「わかりますか」

と言うので、

「はい。病名もわかります。あなたは十二指腸潰瘍ですね」

そう言うと、その車掌さんは、ほんとうに驚いて、

「じゃ、うちの車長（その列車でいちばん偉い人）の病気もわかりますか」

と聞くので、車長の名前を聞いて、

「ずいぶん血圧が高いですね。脳梗塞の危険性があります。その危険性は、とても高いですね」

と答えた。

自分のことを言い当てられたときよりも、さらに驚いた車掌さんは、そのことをすぐに車長に言いに行った。

しばらくして、車長さんがやってきて、

「私はたしかに血圧が高くて悩んでいるが、なぜ、私の病気がわかる？」

と聞いてきたので、詳しい説明をしてあげた。すると、車長さんは、

「あなたがたは、いま、何人なんだ」

と言うので、

「五人です」

と答えた。

「じゃ、こちらに来なさい」

と言って、特別に席をつくってくれて、

「食事はどうした？」

と聞いてくれた。

「まだ、食べていません」

そう答えると、

「じゃ、今日は私が招待しよう」

と、食堂車に案内してくれて、特別に料理を出してくれた。中国の夜行列車には、コックさんが乗っていて、おいしいものをつくってくれるのである。

さあ、それからがたいへんだった。席をつくってもらい、御馳走になったまではよかったが、私のことを聞きつけた人たちが、次から次へとやってきて、結局、私は一晩中、病気を診てあげることになったのである。

その後のことだが、二王兄弟は、私の言ったとおりに、雲南省の山のなかに潜伏していた。そこで、雲南省の警察と瀋陽軍区（この当時の中国は八つの軍区にわかれていて、東北地区にあたる瀋陽軍区は、黒龍江省、吉林省、遼寧省などから成り立っていた。瀋陽軍区は八大軍区のなかで最も強いといわれていた）の人民解放軍とで、山狩りを行うことになった。

このとき、なにしろ相手は二王であり、みんな恐いものだから、ちょっとした気配にも発砲し、誤って味方を撃ってしまうようなことが多かった。その同士討ちによる死者が、数十人にものぼったそうである。

私が雲南省に着いて行っていたならば、きっと捜索隊の先頭に立たされていたにちがいない。そうすれば、おそらくは生きてはいなかっただろう。雲南省についていくのは危険だという私の予感も、的中したということになる。

瀋陽から深圳《しんせん》に

以上のような事件に関わることにより、私は神手張として、すっかり有名になり、新聞にも私のことがシリーズで取り上げられ、瀋陽の診療所もずいぶん繁盛することになったのだが、ある日突然、私はそこを閉鎖し、深圳に移った。それには、次のような理由があった。

当時、私の収入はものすごくよかった。月に千五百元は稼いでいた。当時の中国人の平均月収は五十元ほどだったから、私は普通の中国人の三十倍もの収入があったということになる。

しかも、当時の中国は、いまのような開放経済、市場経済が行き渡ってはいなかった。れっきとした社会主義経済体制をとっていた。そのなかで、私はこれだけの収入を得て、そのことにより、たいへんな収入格差を生んでいたのである。

なぜそれほどまでの収入になったかというと、ある病院と契約をし、病院のなかで気功治療を行っていたからである。

気功治療は、検査の必要もなければ、注射も薬も必要としない。私がいて、患者さんがいて、部屋があって、ベッドがあれば、もうそれだけで十分なのである。病院側が用意するものはベッドと部屋だけであり、それらを用意してくれれば、病院側としては他にやるべきことはなにもない。

だから、売上は、病院と私とで折半にしていた。

そのことを、中国共産党の幹部が知ることになって、やっかいなことになった。

「病院における気功治療の売上の半分を、あなたが独り占めにするなど、とんでもない」

と、言ってきたのである。

そう言われても、気功治療を求めてやってきた患者さんを診療するのは、私一人である。

病院側はなんら診療行為をしない。だから、売上の半分をもらっても当然だ。そう私は考えた。

私がそのように言うと、

「それは、社会主義に則っていない。あなたのやっていることは間違っている」

と、彼らは前にも増して猛反発した。

そこで、私は瀋陽の病院を閉鎖することにしたのである。そして移り住んだ深圳で、いちばん大きな病院と、その次に大きな病院のふたつで、本格的に診療を始めたのである。

日中友好と田中角栄元首相の治療のために日本へ

深圳の病院には、香港などからもずいぶん患者さんがやってきて、ふたつの病院は大繁盛した。そのことにより、私の収入は瀋陽のときよりもさらに増え、ますます有名になった。

瀋陽のときは、北京にまで名が知られたことに驚いたが、香港のマスコミに登場するようになると、今度は海外でも名前が知られるようになった。映画で気功の指導をしたことがきっかけで、ジャッキー・チェンと知り合い、仲よくなったのも、このころのことである。

ちょうどそのころ、アメリカとシンガポール、そして日本から、ほとんど同時に「治療に来てくれないか」との依頼を受けた。

日本からは、日中友好協会の宇都宮徳馬先生（元衆議院議員）を通して私に依頼が来た。先生は私に、日中友好のために、そして当時病床にあった元首相・田中角栄さんの治療のために来日してほしいと要望してきた。

私ははじめ、アメリカと日本のどちらを先にしようかと迷った。その挙げ句、漢字が共通していて多少は言葉を理解できそうな日本の方が、おそらく生活面での不都合も少ないだろうと判断し、まずは日本へ行くことに決めたのである。

最初に日本に二カ月ほど滞在し、そのあとアメリカとシンガポールに渡るというのが、私の当初の予定であった。

3 大学病院で気功による治療を行う

日本滞在を延ばすことにした

こうして、私が初めて日本に来たのは、一九八六年七月十二日、三十六歳の時である。宇都宮徳馬先生がそのときの私の身元保証人だった。

そのころ、田中角栄さんは脳梗塞と脳出血のために治療を受けておられた。私はその角栄さんの治療のために招かれたのだが、長女の田中眞紀子さんは、気功に対してあまり理解がなかった。それに、ほかにもさまざまな人が治療に当たっていたので、私の出る幕はほとんどないといったありさまだった。

それでも私は、最初に決めたとおり、とにかく二カ月間は日本に滞在することにし、他の人たちの治療をはじめた。

そうこうしているうちに、治療を受けた人たちから、アメリカやシンガポールには行かないでくれ、このまま日本にいて自分たちの治療を続けてくれと懇願されてしまった。

治療を受けた人たちが、そのように言うのも無理はない。二カ月しか日本に滞在しないつもりでいたので、どんなに長い人でも二カ月しか治療をしてあげられないのである。

治療の途中でアメリカに行き、さらにはシンガポールに行くとなれば、今度はいつ日本に来て治療を再開できるか、見通しがつかない。

そこで、私は日本での滞在を、もう少し延ばすことにした。

それからまもなくして、私はいくつかの大学に呼ばれ、教授たちを前に気功の説明や講義をすることになった。

教授たちの前で病気をピタリと言い当てた

日本医科大学に呼ばれたときのことである。

いつものように気功について一通り説明したあと、

「私は、人を見るだけで、その人にどんな病気があるかわかります。名前を見ただけでもわかります」

と言うと、教授たちはいっせいに、

「えぇーっ、どうしてわかるのですか?」

と、怪訝《けげん》そうな顔をした。

そこで、そこにいた医師のなかから二人を選び、その名前を黒板に書くと、それをじっと見つめた。すると、一人の方は、病気は特にないが腰が少し弱いということがわかった。それも半年前、重いものを持ったために腰を痛めたということまでわかった。それをみなの前で本人に確かめたところ、なんとピタリと当たったのである。

二人目の人には、少々問題があった。頭に異常が感じられたのである。私は、そこに腫瘍があると診た。しかも、悪性になる確率が五〇パーセントと高い。私は、正直にそう伝えた。

その後、その人が病院で詳しく検査をしてみると、私が診断したとおりの結果が出た。

そのことで、ずいぶん感謝されたが、同時にお医者さんたちはずいぶん驚いたようだ。

あるとき、

「写真を見ただけでもわかります」

と、私が言ったので、四十代くらいのきれいな女性の写真を見せられた。

ところが、その写真からは、少しも生命の気配が感じられない。

「この人の病気がわかりますか？」

そう聞かれた私は、

「この写真の人は、すでに心臓が止まっています」

と、答えた。

すると、その場に居合わせた人たちのなかから、どよめきのようなものが起こった。

その人は、たしかに死亡していて、先週お葬式があったばかりだとのことだった。

「どうして、そのようなことがわかるのですか？」

そう重ねてたずねられたが、考えてみれば、死んでしまった人の写真を見せるなど、意地悪である。そう思った私は、何も答えず黙っていた。

そんなことがあって、私は、日本医科大学第一付属病院（飯田橋）で、正式に仕事をすることになった。

信じなかった教授にも、不眠症の治療で信じさせることができた

日本医科大学には、Ｋ教授という外来に所属しているとても偉い先生がおられた。このＫ教授は、最初「患者を触らないで治すなど、手品のような話で、とても信じることはできない」と言っていた。しかし、私が行う気功治療を実際に見ることにより、少しは認めるようになり、彼のお母さん、お姉さん、奥さんが、気功治療を受けてよくなったので、七〇％は信じるようになった。

残りの三〇％については、自分自身が体験したことがない、というのがその理由であった。そこで、ある日、

「では先生ご自身の病気を、お治ししましょう」

と私が言うと、

「私には、悪いところなどない」

と言う。しかし、私は奥さんから聞いて知っていたので、

「先生は、不眠症でしょう。その不眠症をお治ししましょう」

と言った。先生は、三〇歳のころから不眠症になり、かれこれ三〇年近く、寝るのはいつも夜中の三時か四時である。それも、睡眠薬を飲んで、新聞を読み、雑誌を読まなければ眠れないのである。

「そうか、不眠症を治してくれるのか」

と半信半疑ながらも、先生は喜んでくれた。

当時、私は川崎に住んでいたので、夜中に先生の住んでいる世田谷まで治療に伺うのはたいへんだ。そこで、遠隔治療をすることにした。

夜の十一時すぎに、私が川崎から気をおくる。先生は、十一時前にはお風呂を出て、睡眠薬を飲まず、新聞や雑誌も読まないでいる。そうして、十二時までに寝ることができれば、不眠症の遠隔治療は成功したことにしようということになった。そして、その遠隔治療は、月曜日の夜に開始するということにした。

約束の月曜日の午後、先生が執刀することになっていた手術が、突如キャンセルになった。そこで、先生は病院の近くの行きつけの床屋に行くことにした。その床屋で、先生は居眠りをしたそうである。

家に帰った先生は、奥さんから、

「えっ、昼間に居眠りをされたんですか。今日は張先生が不眠症の遠隔治療を開始する日ですよ」

と言われ、ずいぶん慌てたそうである。

「昼間、居眠りをしなくても、夜は眠れないのだから、いくら張先生でも、昼間あんなにも気持ちよく居眠りした私を、十二時前に寝させるのは不可能だろう。張先生に悪いことをした」

先生は、奥さんにそうおっしゃったそうである。

「じゃ、お電話をしてキャンセルしましょうか」

そう奥さんが言うと、

「それじゃ、かえって失礼だろう。今日のところは、約束どおり十一時前には風呂を出て、睡眠薬を飲まないでとりあえずベッドに行くことにする」

と、先生は答えたそうである。

私のほうは、約束どおり、十一時になると、川崎から先生の住んでいる世田谷に向けて、気をおくった。

そうしたら、先生はちゃんと十二時前に寝てしまったそうである。

先生が寝たあと、奥さんがすぐに

「張先生、たいへん！　主人が十二時前に寝てしまいました。こんなことは、この三十年、なかったことです」

と、電話をくれた。

先生は念のためにと、睡眠薬と新聞と雑誌をそばに置いていたのだが、それらのお世話にはならずに、スヤスヤと寝入ったそうである。

その不眠症の遠隔治療は、三日連続で行い、いずれも成功したのだが、先生はそれでもまだ八五％しか信用できないとおっしゃる。なぜ、一〇〇％ではないかというと、三日間連続で十二時前に寝ることができたのは事実だが、それは「偶然かもしれない」からだというのだ。

その後、先生はお礼にといって、伊豆の別荘に私たちを招待してくれた。別荘は二棟あって、食事は一緒にとったが、寝るときは先生のご家族と、私の家族が、それぞれ別の別荘に入った。

そして、その夜もまた不眠症の遠隔治療をやることになった。先生のご家族が、目の前で見てみたいと言ったからだ。

その夜、私は夜の十一時に、隣りの別荘から気をおくった。

そして、翌日の朝、奥さんが

「先生、昨夜はたいへんでした。ほんとうに危なかったんです」

と切り出した。

十一時過ぎに、先生がベッドに入り、奥さんと娘さんが、それを見守っていたところ、奥さんと娘さんが、私の気を受けて先生とほぼ同時に寝てしまったというのである。まさかそのようなことになるとは思わなかった奥さんと娘さんは、ドアをあけっぱなしにしていて、朝になるまで気がつかなかったそうである。


その後、大学病院に入院している患者さんのなかでも特に病状の悪い人に集まってもらい、いっせいに気功を施すようになった。ひとつの部屋に二十人くらい集まってもらい、いっせいに気功治療をしたのである。

気功というのは、必ずしも一対一でやる必要はない。患部の異なる患者さんたちであっても、いっせいに行うことは可能である。

私は三年間、日本医科大学でそういった治療を続けた。

学校をつくったのは、気功を広めるため

私はいま、東京の小石川で気功師の養成学校を経営している。この学校をつくったのは、二〇〇〇年のことであり、最初は駒込でスタートし、二年後に小石川に移った。

気功師の養成学校とはいっても、私がノウハウのいっさいを教えているわけではない。自分のやり方をみなに示しているだけである。生徒たちは、それをよく見、学習し、理解し、研究することで、自分なりの気功を開発していくのである。

勉強とは、本来そのようなものである。師のやり方を見て、自分なりに努力し工夫して習得していく。師としての私の役割は、彼らの勉強の手助けをすることであり、彼らは私を上手に利用すればよいのである。

私は日本に来て十七年になるが、日本人に気功を教えてもよいと思ったのは、わずか三年前のことである。日本人は時々間違った考え方をすることがあり、中国人の私

としては、当然ながら戦争のときのわだかまりというものもある。

それらのことを解消していくのに、十数年を要したということである。いまの私の日本人に対する認識は、以前とはかなり変わったものになってきている。それに、私自身、中国人ということをさほど意識しなくなってきてもいる。

気功の効果を、さらに臨床的に明らかにしていきたい

私は、正しい気功のやり方を知る人を増やし、プロの気功師たちを育てるために、気功の学校をつくった。多くの日本人が、気功のよさを理解し、自分や家族や友人たちの健康のためにそれを自在に使うようになれば、どんなにすばらしいことか。

気功師の子どもに限って代々伝えられてきた秘伝ではあるが、これからは多くの日本人のために役立ち、多くの日本人が元気で健康な日々を送ることができるようになれば、私にとってこんなに嬉しいことはない。

もちろん私自身も、現役の気功師として、引き続き病気で苦しむ多くの日本人を助けてあげたいと思っている。最近になって、気功は脳出血や火傷に驚くほどの効果を発揮することに、あらためて気づいた。ガンに大きな力を発揮することは、瀋陽時代から経験的にわかっていたことだが、とくに再発防止に大きな力を発揮するということがわかってきた。

足を切らなければならなくなっていた三十代の男性を、気功によって助けたこともある。その男性は、動脈と静脈のあいだが悪くなるという病気に罹って、足が痛くてたまらなかった。お医者さんに診てもらったところ、これは切るしかないという結論に達した。

そこで、気功でなんとかならないかと、私のところに助けを求めてきたのだ。その足を診たとき、私は気功で治せると確信し、何度か通うように言った。

そうして、何度か私のところに通うことによって、切るしかないといわれた足を治すことができた。この男性は、もしも気功に出あわなければ、足をなくしていたのだ。

銀座の大きな会社の会長さんが、網膜剥離症になったのだが、それが目の中心であるため、手術することができない。そこで、私のところに来るようになって、いま治療中だが、徐々によくなってきている。

そのほか、血液の病気の進行をくい止めることができることなどもわかってきた。しかし、気功の効果については、まだまだ世間に知られていない部分がいっぱいあるというのが実情だ。

これからも、私自身が治療を続けることにより、気功がどのような病気（西洋医学・現代医学における病名）に、どれくらいの効果を発揮することができるのか、臨床的に明らかにしていきたいと思っている。

気功がなぜ「難病」「不治の病」を治すのか

気功と現代医学は、診察方法も治療方法も根本的に異なる。そのため、現代医学では「難病」とされ、「不治の病」とされている病気が、気功で簡単に治ったりする。

なぜそのようなことになるかというと、たとえば現代医学では、血液を輸血することはできても、よい血液に変えることはできない。気功なら、それができる。気功によって、よい血液に変えることは可能であり、そのことにより現代医学では「難病」とされ「不治の病」とされている病気が、治癒するということである。

それに、副作用がまったくないというのも、気功の大きな特徴である。ガンを摘出する外科手術は、患者の体をひどく刺激し、たいへんなストレスを与えるために、かえってガンを促進させるということは、現代医学のなかでさえ、すでに指摘されていることである。

薬の害である薬害についても、これまでずいぶんさまざまな角度から指摘されてきた。比較的副作用がないといわれている漢方薬でさえ、副作用のあることは、いまや常識となっていて、専門の漢方医の処方箋がなければ使用してはならないと決められたものもあるくらいだ。

漢方薬も含めて、薬というものは人間の体内に入って、必ずなんらかの作用を引き起こす。そのことにより病気が治ったり、病状が改善されたりするのだが、それだけではすまない。不必要な作用、引き起こしてほしくはないことまで引き起こしてしまう。それが副作用というものである。よく効く薬というものは、副作用も大きいのが、自然の道理なのである。

気功でも臨床がとても大切

そうしたことから、最近になって、これまでは病院での治療にしぼっていたけれども、これからは気功だけに専念したいと、治療所の門を叩く人が増えてきている。

私は、そのような動機で訪ねてこられた患者さんから、いろいろなことを教わっている。

気功の治療は、病院での治療のように、この病気にはこの薬をというわけにはいかない。

気功が、それぞれの病気にどのように作用するかは、やってみなければわからない。やってみて効果があって初めて、ああこの病気にも使えるのだとわかるのである。

現代医学の世界では、医者の臨床数や経験によって、患者からの信頼度が違ってくる。一般に、年長の医者が好まれるのも、そうした理由があるからだろう。しかし、気功の世界では、臨床件数というのは世界的にみてもまだまだ少ない。

私は、日本で十七年も治療を続けてきた。私が診た患者の数は何万人にものぼる。私にとって、こうした数多くの臨床例こそが財産であり、それを今後の治療に生かすことは私の使命だと思っている。

おわりに

私は十七年前に来日したのだが、そのときは二カ月ほど滞在して仕事をすませたら、そのままアメリカとシンガポールに渡るつもりだった。それを取りやめて、日本にずっと住むようになったのは、一つには娘が大の日本好きだったからである。

来日したときは、妻と娘も一緒だった。当時、娘はまだ小学校の三年生で、日本語はまったくわからなかった。しかし、しばらく日本に滞在すると決めると、私は娘を普通の日本人の小学校に通わせたのである。

私の心配をよそに、娘は日本での生活にすぐに順応し、みるみる日本社会に溶け込んでいった。そして、言葉の壁も難なく乗り越えた。こうして、日本での生活がすっかり気に入った娘は、「もう日本から離れたくない」と言い出したのである。

初めて日本に来たとき、娘はかなりカルチャーショックを受けたようだった。まず、自動販売機にひどく驚いたようだ。中国の深圳には、自動販売機などという便利なものはなかった。

東京で初めて住んだ赤羽の瀟洒な一軒家も、「きれい」と言って喜んだ。娘にとって、自転車が縦横無尽に行き交う煩雑な中国の町と比べると、東京はとても安全で、きれいで、文化的に映ったようである。

私が中国に戻らないのには、もうひとつ理由がある。それは、最近になって中国政府が、気功への締めつけを強めたからである。法輪功の事件があって以来、中国政府は気功集団への取り締まりを強化している。

中国で気功をやっている人のなかには、怪しげな人が多いのも事実だが、だからといって、まっとうな気功にまで圧力をかけるべきではない。

いま、中国社会で気功を行うのは難しくなっている。締めつけはますます厳しくなると予想される。だから、当分私は中国へは戻るつもりはない。

三年間の病院勤務の後、私は法務省に出向き、大学での勤務証明書を添えて、「三宝」という気功の株式会社を設立する申請を行った。法務省は、私の申請を受理し、私は日本で唯一の気功の会社を作ることができた。

会社の定款には、「気功の教育、気功の研究」を目的として記入した。

「三宝」とは、本文でも述べたが、天の三宝、地の三宝、人の三宝のことである。

また、私は、日本医科大学の他にもさまざまな大学に出向き、気功の紹介や治療、治験を行ってきた。杏林大学、電気通信大学、筑波大学、東京工業大学などの教授たちと一緒に研究もしている。

たとえば、ガン細胞を注射したねずみに気功を施すとどうなるか、という実験を重ねたり、私の血液を提供して気功の仕組みを解明する研究にも携わっている。

その他、新聞や雑誌、テレビなどマスコミの仕事もこなし、各種カルチャーセンターで気功の講習を受け持っている。

また、ロシア大使館副大使の持病の心臓病を、気功による治療で治したことによって、ロシアから招待されたこともある。カタールからは社会功労賞を受賞し、モスクワ医科歯科大学の名誉博士号も授与された。

私が初めて日本に来たころ、気功を知っている人はほとんどいなかった。しかし、大学での研究への取り組みや成果などによって、少しずつだが気功は全国的な広まりを見せ始めている。

私はこれからも、世界の気功の指導的立場にある者として、広く気功の普及に努めていきたいと考えている。

気功の目的は、すべての人たちが健康で明るい生活を送れるようにすることである。その実現のためには、気功治療をもっともっと普及向上させなければならない。そしてそのためには、気功治療に加えて、西洋医学の先進的な検査方法を導入し、薬膳や整体などの中医学との連動が不可欠となってくる。これら三位一体の仕組みづくりが必要なのである。

そうした目的のために、このほど、箱根に「三宝康寿山荘」を設立した。これは、四〇人以上が宿泊できる健康増進のための施設で、箱根を代表する別荘地「南箱根ダイヤランド」に位置している。

中国では、昔から健康維持のための自然条件について、五つのものがあげられてきた。つまり、湖、海、山、林、泉(温泉)の五つである。箱根には、これら五つの条件がすべて備わっているのである。

こうした環境のなかで、「三宝康寿山荘」には健康増進のためのさまざまなメニューが用意されている。なかでも、その中心となるのが次のコンセプトである。

①遊湖　②観海　③参山　④入林　⑤温泉浴　⑥宿泊　⑦薬膳　⑧治療　⑨練功　⑩学外語

病気で苦しんだりストレスに悩んでいる人はもちろんのこと、健康な人もぜひ一度体験していただき、そのすばらしさを身をもって味わっていただきたいと願っている(問合せ先：055・974・0794　三宝康寿山荘)。

これまで一度も病気にかかったことがないという人は、まずいないだろう。

「私はいたって丈夫で、病気をしたことがありません」と豪語する人がたまにいるが、そういう頑丈な人だって、子どものころにはいろいろ病気をしたはずである。むしろ、人間は病気になるものだと思って生活していた方がよい。

私から見ると、「これまで病気をしたことがない」と言って憚《はばか》らない人の方が、危ないのである。そういう人というのは、いまは病気が表に現れていないだけであり、いつかは病気になると考えられるからである。しかも、彼らは、自分は決して病気にはならないと過信しているため、日頃、健康上の注意を怠っていることが多い。

反対に、病気にかかりやすい人、過去に大病をした経験のある人は、再び病気にならないように日常でも気を配っているため、かえって安心なのである。

とはいっても、過去にも病気になったことがなく、これからも病気にならなければ、これほど幸せなことはない。

病気をしたことがないという人も、病気をした経験のある人も、この本で私が述べてきたことを参考に、日々の予防を怠ることなく心して生活することで、健康な体のまま天寿をまっとうしていただきたい。

真の気功師を育てるために
～気功師専門学校のめざす道～

〝生老病死〟は人間の逃れられない宿命です。

死は人生の最終点なのですから、自然にもたらされる死は、恐れずに受け入れるしかありません。しかし、疾病によって本来の寿命よりも早くもたらされる死は、本人のみならず家族や友人など多くの人々に大きな悲しみを与えます。病気がもたらすさまざまな苦悩から人々を解放する方策のひとつとして、すぐれた気功治療を行う人材を育成することには、大きな意義があるといえます。

こうした考えから、私はこの日本で三年前から真の気功師を育成する学校を始めました。

この学校では、これまで門外不出とされてきた祖伝秘訣を公開するとともに、実践的な授業方法により、年齢、性別、学歴等を問わず、誰でもまじめに勉強すれば、短期間で外気治療法がマスターできることを可能にしました。

健康で幸福な長寿社会に貢献し、世界で活躍できる本格的な気功師をめざし、「気」で疾病と闘う先駆者となりたい方に、ぜひこの学校で学んでいただきたいと願っています。

気功師養成学校

〒170−0011　東京都豊島区池袋本町1−38−14　ナゴヤビル2階

☎03−5992−8330

http://www.qigong-z.com/xuexiao.html

著者プロフィール

張　永祥（ちょう・えいしょう）

1950年　中国遼寧省生まれ。

1986年　日中気功交流のために来日。日本全国で講演。
現在、首都圏を中心に、日本各地で難病治療、気功療術指導に専念。
世界医学気功学会理事　全日本気功師会会長
モスクワ医科歯科大学名誉博士
元日本医科学大学客員研究員
元NHK文化センター講師
元読売・日本テレビ文化センター講師
気功師養成学校校長　気功総合治療院院長
著書に『気功の真髄』（現代書林）

ぷるぷる健康法

2003年10月15日　初版第1刷発行
2021年3月12日　初版第7刷発行

著　者　張　永祥
発行者　韮澤 潤一郎
発行所　株式会社 たま出版
〒160-0004　東京都新宿区四谷4-28-20
電話　03-5369-3051（代表）
http://tamabook.com
振　替　00130-5-94804

印刷所　株式会社エーヴィスシステムズ

乱丁・落丁本お取り替えします。

ISBN978-4-8127-0168-3 C0047